POR ÚLTIMO VEM O CORVO

Obras do autor publicadas pela Companhia das Letras

Os amores difíceis
Assunto encerrado
O barão nas árvores
O caminho de San Giovanni
O castelo dos destinos cruzados
O cavaleiro inexistente
As cidades invisíveis
Coleção de areia
Contos fantásticos do século XIX (org.)
As cosmicômicas
O dia de um escrutinador
Eremita em Paris
A entrada na guerra
A especulação imobiliária
Fábulas italianas
Um general na biblioteca
Marcovaldo ou As estações na cidade
Mundo escrito e mundo não escrito — Artigos, conferências e entrevistas
Nasci na América... — Uma vida em 101 conversas (1951-1985)
Os nossos antepassados
Um otimista na América — 1959-1960
Palomar
Perde quem fica zangado primeiro (infantil)
Por que ler os clássicos
Por último vem o corvo
Se um viajante numa noite de inverno
Seis propostas para o próximo milênio — Lições americanas
Sob o sol-jaguar
Todas as cosmicômicas
A trilha dos ninhos de aranha
O visconde partido ao meio

ITALO CALVINO

*POR ÚLTIMO VEM
O CORVO*

Tradução:
MAURÍCIO SANTANA DIAS

COMPANHIA DAS LETRAS

Copyright © 2002 by Espólio de Italo Calvino
Todos os direitos reservados

Questo libro è stato tradotto grazie a un contributo del Ministero degli Affari Esteri e della Cooperazione Internazionale Italiano.
Obra traduzida com a contribuição do Ministério das Relações Exteriores e da Cooperação Internacional da Itália.

Grafia atualizada segundo o Acordo Ortográfico da Língua Portuguesa de 1990, que entrou em vigor no Brasil em 2009.

Título original
Ultimo viene il corvo

Capa
Raul Loureiro

Preparação
Julia Passos

Revisão
Carmen T. S. Costa
Nestor Turano Jr.

Dados Internacionais de Catalogação na Publicação (CIP)
(Câmara Brasileira do Livro, SP, Brasil)

Calvino, Italo, 1923-1985.
  Por último vem o corvo / Italo Calvino ; tradução Maurício Santana Dias. — 1ª ed. — São Paulo : Companhia das Letras, 2023.

  Título original: Ultimo viene il corvo.
  ISBN 978-85-359-3514-1

  1. Ficção italiana. I. Título.

23-161718
CDD-853

Índice para catálogo sistemático:
1. Ficção : Literatura italiana   853
Cibele Maria Dias – Bibliotecária – CRB-8/9427

Todos os direitos desta edição reservados à
EDITORA SCHWARCZ S.A.
Rua Bandeira Paulista, 702, cj. 32
04532-002 — São Paulo — SP
Telefone: (11) 3707-3500
www.companhiadasletras.com.br
www.blogdacompanhia.com.br
facebook.com/companhiadasletras
instagram.com/companhiadasletras
twitter.com/cialetras

SUMÁRIO

Uma tarde, Adão, 7
Um navio carregado de caranguejos, 18
O jardim encantado, 24
Alvorada sobre os galhos nus, 29
De pai para filho, 37
Homem nos ermos, 42
O olho do dono, 48
Filhos preguiçosos, 54
Almoço com um pastor, 60
Os irmãos Bagnasco, 68
A casa das colmeias, 74
A mesma coisa que o sangue, 78
À espera da morte em um hotel, 85
Angústia na caserna, 93
Medo na trilha, 103
A fome em Bévera, 110
Levado ao comando, 117
Por último vem o corvo, 123
Um dos três ainda está vivo, 129
O bosque dos animais, 137
Campo de minas, 145
Observados à mesa, 151
Furto numa confeitaria, 156
Dólares e velhas prostitutas, 164

A aventura de um soldado, 176
Dormindo feito cães, 186
Desejo em novembro, 193
Enforcamento de um juiz, 201
O gato e o policial, 209
Quem pôs a mina no mar?, 216

UMA TARDE, ADÃO

O novo jardineiro era um rapaz de cabelo comprido, que usava uma cruzinha de pano na cabeça para prendê-lo. Agora vinha subindo pela alameda com o regador cheio, espichando o outro braço para equilibrar a carga. Aguava as moitas de capuchinhas devagar, como se lhes servisse café com leite: na terra, ao pé das plantinhas, se dilatava uma mancha escura; quando ela ficava grande e fofa, ele erguia o regador e passava para outra planta. Ser jardineiro devia ser um belo ofício, porque era possível fazer tudo com calma. Maria-nunziata o observava da janela da cozinha. Era um rapaz já feito, mas ainda usava calças curtas. E aquele cabelo comprido que parecia de menina. Ela parou de enxaguar os pratos e bateu na vidraça.

— Ei, rapaz — disse.

O rapaz-jardineiro levantou a cabeça, viu Maria-nunziata e sorriu. Maria-nunziata também se pôs a rir, para responder a ele, e porque nunca tinha visto um rapaz com um cabelo tão comprido e uma cruzinha como aquela na cabeça. Então o rapaz--jardineiro lhe fez um "vem cá" com a mão, e Maria-nunziata continuou rindo de seu modo engraçado de gesticular, pondo--se ela também a gesticular para lhe dizer que precisava arrumar os pratos. Mas o rapaz-jardineiro lhe fazia "vem cá" com uma mão e com a outra indicava os vasos de dálias. Por que estava indicando os vasos de dálias? Maria-nunziata abriu o vidro e pôs a cabeça para fora.

— O que foi? — falou, e se pôs a rir.
— Me diga: quer ver uma coisa bonita?
— O que é?
— Uma coisa bonita. Venha ver. Rápido.
— Me diga o que é.
— Eu lhe dou de presente. Uma coisa bonita.
— Preciso lavar os pratos. Daqui a pouco a patroa chega e não vai me encontrar.
— Mas você quer ou não quer? Vem, vem cá!
— Espere aí — disse Maria-nunziata, e fechou a janela. Quando saiu pela estreita porta de serviço, o rapaz-jardineiro continuava lá, regando as capuchinhas.
— Oi — disse Maria-nunziata.

Maria-nunziata parecia mais alta porque calçava belos sapatos com solado de cortiça, e era um desperdício usá-los também no serviço, como ela gostava de fazer. Mas tinha um rosto de menina, pequeno em meio ao cacheado dos cabelos pretos, e também pernas magras e infantis, embora o corpo, nas sinuosidades do avental, já fosse cheio de maduro. E ria sempre: para qualquer coisa que os outros dissessem, ou ela mesma, ria de tudo.

— Oi — disse o rapaz-jardineiro. Tinha a pele marrom, no rosto, no pescoço, no peito: talvez porque estivesse sempre assim, seminu.

— Como você se chama? — perguntou Maria-nunziata.
— Libereso — respondeu o rapaz-jardineiro.
Maria-nunziata ria e repetiu: — Libereso... Libereso... que nome, Libereso.
— É um nome em esperanto — disse ele. — Quer dizer liberdade em esperanto.
— Esperanto — disse Maria-nunziata. — E você é esperanto?
— Esperanto é uma língua — explicou Libereso. — Meu pai fala esperanto.
— Eu sou da Calábria — disse Maria-nunziata.
— E qual o seu nome?
— Maria-nunziata — e ria.

— Por que você sempre ri?
— E por que você se chama Esperanto?
— Não Esperanto: Libereso.
— Por quê?
— E por que você se chama Maria-nunziata?
— É o nome de Nossa Senhora. Eu me chamo como Nossa Senhora, e meu irmão, como são José.
— Sãojosé?
Maria-nunziata caiu na risada: — Sãojosé! José, não Sãojosé! Libereso!
— Meu irmão — disse Libereso — se chama Germinal, e minha irmã, Omnia.
— E a coisa — disse Maria-nunziata —, me mostre aquela coisa.
— Venha — disse Libereso. Pousou o regador e a pegou pela mão.
Maria-nunziata bateu o pé: — Antes me diga o que é.
— Você vai ver — disse ele —, mas me prometa que vai dar valor a ela.
— Vai me dar de presente?
— Sim, vou lhe dar. — Ele a conduziu a um canto próximo ao muro do jardim. Em um vaso, havia dálias da altura deles.
— Está ali.
— O quê?
— Espere.
Maria-nunziata espiava atrás dos ombros dele. Libereso se abaixou para deslocar um vaso, ergueu outro perto do muro e apontou para o chão.
— Ali — disse.
— O quê? — perguntou Maria-nunziata. Não estava vendo nada: era um canto na sombra, com folhas úmidas e terriço.
— Cuidado que se mexe — disse o rapaz. Então ela viu uma pedra de folhas se movendo, uma coisa úmida, com olhos e pés: um sapo.
— Mãe do céu!
Maria-nunziata escapou, saltando entre as dálias com seus

belos sapatos de cortiça. Libereso estava agachado perto do sapo e ria, com os dentes brancos no meio do rosto marrom.
— Você está com medo?! É um sapo! Por que o medo?
— É um sapo! — gemeu Maria-nunziata.
— É um sapo. Venha — disse Libereso.
Ela apontou um dedo para o bicho: — Mate ele.
O rapaz pôs as mãos diante do animal, quase para protegê--lo: — Não quero. Ele é bom.
— É um sapo bom?
— Todos são bons. Comem os vermes.
— Ah — disse Maria-nunziata, mas sem se aproximar. Mordia o colarinho do avental e tentava vê-lo, torcendo os olhos.
— Veja que beleza — disse Libereso, e pôs a mão embaixo. Maria-nunziata se aproximou: não ria mais, olhava de boca aberta: — Não, não toque nele!
Com um dedo, Libereso acariciava as costas verde-cinza, cheias de verrugas babosas, do sapo.
— Você é doido? Não sabe que queima se tocar, e que deixa a mão inchada?
O rapaz mostrou a ela suas grossas mãos marrons, com as palmas revestidas por uma camada amarela e calosa.
— Comigo não acontece nada — disse. — É tão bonito.
Ele tinha pegado o sapo pelo cangote como se fosse um gatinho e o colocado na palma da mão. Mordendo o colarinho do avental, Maria-nunziata se aproximou e se agachou.
— Mãe do céu, que aflição — disse.
Os dois estavam agachados atrás das dálias, e os joelhos rosados de Maria-nunziata roçavam os marrons e cascudos de Libereso. Libereso passava a mão nas costas do sapo, com a palma e o dorso, e o agarrava toda vez que tentava escapar.
— Faça carinho nele também, Maria-nunziata — disse.
A garota escondeu as mãos no colo.
— Não — falou.
— Por quê? — ele disse. — Você não quer?
Maria-nunziata baixou os olhos, depois espiou o sapo e voltou a baixá-los depressa.

— Não — disse.
— É seu, lhe dou de presente — disse Libereso.
Agora Maria-nunziata estava com os olhos enevoados: era triste renunciar a um presente, ninguém nunca lhe dava presente, mas o sapo realmente lhe dava nojo.
— Você pode levá-lo para casa, se quiser; assim lhe fará companhia.
— Não — falou. Libereso recolocou o sapo no chão, que foi logo se esconder entre as folhas.
— Tchau, Libereso.
— Espere.
— Preciso terminar de lavar os pratos. A patroa não quer que eu venha ao jardim.
— Espere. Quero lhe dar uma coisa. Uma coisa bem bonita. Venha.
Ela se pôs a segui-lo pelas alamedas de cascalho. Libereso era um rapaz estranho, com aquele cabelo comprido, que pegava os sapos com as mãos.
— Quantos anos você tem, Libereso?
— Quinze. E você?
— Catorze.
— Já fez ou vai fazer?
— Faço no dia da Anunciação.
— Já passou?
— Como? Você não sabe quando é a Anunciação? Desandou a rir.
— Não.
— A Anunciação, quando tem a procissão. Você não vai à procissão?
— Eu não.
— Na minha terra é que tem belas procissões. Na minha terra não é como aqui. Há grandes campos, todos de tangerina e só de tangerina. E todo o trabalho é colher tangerinas, de manhã até de noite. E nós éramos catorze irmãos e irmãs, e todos colhíamos tangerinas, e cinco morreram pequenos, e minha mãe teve tétano, e nós passamos uma semana no trem para vir

encontrar o tio Carmelo, e lá dormimos numa garagem, oito pessoas. Mas me diga, por que você tem um cabelo tão comprido?
— Pararam num canteiro de copos-de-leite.
— Porque sim. O seu também é comprido.
— Eu sou uma menina. Se você tem cabelo comprido, é como uma menina.
— Eu não sou como uma menina. Não é pelo cabelo que se vê se alguém é menino ou menina.
— Como não é pelo cabelo?
— Não é pelo cabelo.
— Por que não é pelo cabelo?
— Quer que eu lhe dê uma coisa bonita?
— Quero.
Libereso começou a circular entre os copos-de-leite. Todos haviam desabrochado, com campânulas brancas voltadas para o céu. Libereso olhava dentro de cada uma, vasculhava seu interior com dois dedos e escondia algo na mão fechada em punho. Maria-nunziata não tinha entrado no canteiro e o observava rindo, em silêncio. O que Libereso estava fazendo? Já tinha passado em revista todas as flores. Veio estendendo à frente ambas as mãos, uma na outra.
— Abra as mãos — disse. Maria-nunziata pôs as mãos em concha, mas tinha medo de estendê-las a ele.
— O que tem aí dentro?
— Uma coisa bonita. Você vai ver.
— Me deixe ver antes.
Libereso entreabriu as mãos e a deixou olhar dentro. Tinha as mãos cheias de besourinhos: besourinhos de todas as cores. Os mais bonitos eram os verdes, depois havia uns avermelhados e alguns escuros, e até um turquesa. E zumbiam, deslizavam sobre a carapaça uns dos outros e rodavam as patinhas pretas no ar. Maria-nunziata escondeu as mãos sob o avental.
— Segure — disse Libereso —, não gostou deles?
— Gostei — disse Maria-nunziata, mas sempre mantendo as mãos sob o avental.

— Segurá-los na mão faz cosquinha: quer sentir?
Maria-nunziata entendeu as mãos, timidamente, e Libereso despejou sobre elas uma cascata de insetos de todas as cores.
— Coragem. Eles não picam.
— Mãe do céu! — Não tinha pensado que poderiam picá-la. Separou as mãos, e os besourinhos soltos no ar abriram as asas, e as belas cores desapareceram, restando apenas um enxame de coleópteros negros que sobrevoavam e pousavam nos copos-de-leite.
— Que pena; eu quero lhe dar um presente e você não aceita.
— Preciso ir cuidar da casa. Se a patroa não me achar, depois grita comigo.
— Não quer mesmo um presente?
— O que você vai me dar?
— Venha.
Continuou levando-a pela mão, entre os canteiros.
— Preciso voltar logo à cozinha, Libereso. Ainda tenho de depenar uma galinha.
— Uaah!
— Por que uaah?
— Nós não comemos carne de animais mortos.
— Vocês sempre fazem quaresma?
— Como?
— O que vocês comem?
— Muitas coisas: alcachofras, alface, tomate. Meu pai não quer que a gente coma carne de animais mortos. Nem café e açúcar.
— E o açúcar do abonamento?
— Vendemos no mercado negro.
Tinham chegado a uma cascata de suculentas, toda constelada de flores vermelhas.
— Flores lindas — disse Maria-nunziata. — Você pega algumas de vez em quando?
— Para quê?

— Para dar a Nossa Senhora. As flores servem para ser oferecidas a Nossa Senhora.
— Mesembrianthemum.
— O quê?
— Essa planta se chama Mesembrianthemum, em latim.
Todas as plantas têm nomes em latim.
— A missa também é em latim.
— Isso eu não sei.
Libereso estava espiando entre o serpentear dos ramos no muro.
— Ali está — falou.
— O que é?
Havia um lagarto parado ao sol, verde com desenhos pretos.
— Agora eu pego ele.
— Não.
Mas ele se aproximou do lagarto com as mãos abertas, bem devagar, e num salto: capturado! Agora ria contente, com seu riso branco e marrom. — Quase que me escapa! — Das mãos cerradas ora despontava a cabecinha assustada, ora a cauda. Maria-nunziata também ria, mas dava pulinhos para trás toda vez que avistava o lagarto, apertando a saia entre os joelhos.
— Então você não quer mesmo que eu lhe dê nada? — disse Libereso um tanto mortificado, e lentamente pousou o lagarto na mureta, que disparou feito um raio; Maria-nunziata mantinha os olhos baixos.
— Venha comigo — disse Libereso, e segurou de novo a mão dela.
— O que eu queria era ter um batom e pintar a boca aos domingos, para ir aos bailes. E depois um véu preto para pôr na testa, para receber a bênção.
— Aos domingos — disse Libereso — eu vou ao bosque com meu irmão e nós enchemos dois sacos de pinhões. Depois, à noite, meu pai lê em voz alta os livros de Élisée Reclus. Meu pai tem cabelos compridos até os ombros, e a barba vai até o peito. E veste bermudas, no verão e no inverno. Eu faço pequenos desenhos para a vitrine da FAI. Os de cartola são os financis-

tas, os de quepe, os generais, e os de chapéu redondo são os padres. Depois eu pinto tudo com aquarela.
Havia um laguinho onde boiavam folhas redondas de ninfeia.
— Silêncio — fez Libereso.
Debaixo d'água se via a rã subir com arranques e abandonos dos braços verdes. À tona, saltou numa folha de ninfeia e se sentou no meio dela.
— Pronto! — fez Libereso, e baixou uma mão para agarrá-la, mas Maria-nunziata fez: — Uh! —, e a rã pulou na água. Agora Libereso continuava procurando à flor da água.
— Lá embaixo.
Desceu depressa uma mão e a tirou para fora, com o punho cerrado.
— Duas de uma vez — disse. — Veja. São duas, uma em cima da outra.
— Por quê? — perguntou Maria-nunziata.
— Macho e fêmea grudados — disse Libereso —, olhe como eles fazem.
E queria colocar as rãs na mão de Maria-nunziata. Maria-nunziata não sabia se tinha medo porque eram rãs ou porque eram macho e fêmea grudados.
— Deixe os bichinhos — disse —, não é preciso tocar.
— Macho e fêmea — repetiu Libereso. — Depois fazem os girinos.
Uma nuvem passava pelo sol. Subitamente Maria-nunziata se desesperou.
— Já é tarde. Com certeza a patroa está me procurando.
Mas não ia embora. Os dois continuavam passeando pelo jardim, e não havia mais sol. Foi a vez de uma serpente. Estava atrás de uma sebe de bambus, uma pequena serpente, uma cobra-de-vidro. Libereso a fez se enrolar em seu braço e lhe acariciou a cabecinha.
— Antigamente eu amestrava serpentes, tinha umas dez, uma até bem comprida e amarela, daquelas de água. Depois ela

mudou de pele e fugiu. Olhe esta como abre a boca, olhe a língua dividida. Pode fazer carinho, não morde.

Mas Maria-nunziata também tinha medo de cobras. Então eles foram para o laguinho de pedras. Primeiro ele lhe mostrou os jatos, abriu todas as torneiras, e ela estava muito contente. Depois lhe mostrou o peixe vermelho. Era um velho peixe solitário, de escamas que começavam a embranquecer. Aí está: do peixe vermelho Maria-nunziata gostava. Libereso começou a agitar as mãos na água para agarrá-lo, era bem difícil, mas depois Maria-nunziata poderia colocá-lo em um vaso e deixá-lo até na cozinha. Por fim o capturou, mas sem o tirar da água para que não sufocasse.

— Abaixe as mãos, faça carinho nele — disse Libereso —, dá para sentir a respiração; as barbatanas parecem de papel, e as escamas pinicam, mas de leve.

Mas Maria-nunziata escapou dando gritinhos.

— Ponha a mão ali — disse Libereso, apontando o tronco de um velho pessegueiro. Maria-nunziata não entendia por que, mas pôs a mão: gritou e saiu correndo para mergulhá-la na água do laguinho. Depois a levantou, coberta de formigas. O pessegueiro era um vaivém só de minúsculas formigas "argentinas".

— Veja — disse Libereso, e apoiou uma mão no tronco. As formigas subiam por ela, mas ele não as tirava.

— Por quê? — disse Maria-nunziata. — Por que está se enchendo de formigas?

A mão já estava preta, e as formigas iam subindo pelo pulso.

— Levante a mão — gemia Maria-nunziata. — Todas as formigas vão montar em você.

As formigas subiam pelo braço nu, já estavam no cotovelo. Agora todo o braço estava coberto por um véu de pontinhos pretos que se mexiam; as formigas já estavam chegando à axila, mas ele não se afastava.

— Saia daí, Libereso, bote o braço na água!

Libereso ria, algumas formigas já passavam do pescoço para o rosto.

— Libereso! Faço o que você quiser! Vou ficar com todos os presentes que me deu!

Ela enlaçou o pescoço dele com os braços e começou a esfregar para tirar as formigas.

Então Libereso tirou a mão da árvore, rindo branco e marrom, e espanou o braço com displicência. Mas dava para ver que estava comovido.

— Está bem, vou lhe oferecer um grande presente, já decidi. O maior presente que eu posso dar.

— O que é?

— Um porco-espinho.

— Mãe do céu... A patroa! A patroa está me chamando!

Maria-nunziata tinha acabado de arrumar os pratos quando sentiu uma pedrinha bater na janela. Embaixo estava Libereso com uma grande cesta.

— Maria-nunziata, me deixe subir. Quero lhe fazer uma surpresa.

— Você não pode subir. O que está trazendo aí dentro?

Mas naquele momento a patroa tocou, e Maria-nunziata desapareceu.

Quando voltou à cozinha, Libereso já não estava. Nem dentro, nem debaixo da janela. Maria-nunziata se aproximou da pia. Então viu a surpresa.

Sobre cada prato posto para secar havia uma rã que saltava, uma serpente estava enrolada dentro de uma caçarola, uma sopeira estava cheia de lagartos, e lesmas babosas deixavam rastros iridescentes na cristaleira. No balde cheio de água nadava o velho e solitário peixe vermelho.

Maria-nunziata deu um passo para trás, mas seus pés toparam com um sapo, um sapo enorme. Aliás, devia ser uma fêmea, porque atrás dela vinha toda a ninhada, cinco sapinhos em fila, que avançavam em pequenos saltos sobre as lajotas brancas e pretas.

UM NAVIO CARREGADO DE CARANGUEJOS

Os meninos de Piazza dei Dolori deram o primeiro mergulho do ano num domingo de abril, de céu azul novo em folha e um sol alegre e jovem. Desceram correndo pelos becos sacudindo seus calções de malha remendados, alguns já arrastando os tamancos pelo calçamento de pedra, a maioria sem meias para não ter de calçá-las de novo nos pés molhados. Correram para o cais pulando as redes que se estendiam no chão e se erguiam sobre os pés nus e calosos dos pescadores acocorados que as costuravam. Despiram-se entre as pedras do talude, contentes com aquele cheiro acre de velhas algas apodrecidas e com o voo das gaivotas, que tentavam preencher o céu grande demais. Esconderam as roupas e os calçados nas cavidades dos escolhos, suscitando a fuga de pequenos caranguejos, e começaram a saltar, descalços e despidos, de um escolho a outro, esperando que alguém decidisse mergulhar primeiro.

A água estava calma, mas não límpida, de um denso azul com reflexos esverdeados. Gian Maria, chamado o Mariassa, subiu no topo de um alto arrecife e assoou com o polegar debaixo do nariz, naquele seu gesto de boxeador.

— Vamos lá — disse; juntou as mãos à frente e se lançou de cabeça. Saiu alguns metros adiante, cuspindo um jato para cima e se fazendo de morto.

— Está fria? — perguntaram.

— Quentíssima — gritou, e se pôs a dar braçadas furiosas para não congelar.

— Turma! Todos comigo! — disse Cicin, que gostava de bancar o líder, embora ninguém desse bola para ele.

Mergulharam todos: Pier Lingera, que deu uma cambalhota, Bombolo, que caiu de barriga, Paulò, Carruba e por último Menin, que tinha um medo tremendo da água e mergulhou de pé, tapando o nariz com os dedos.

Na água, Pier Lingera, o mais forte, deu caldo em todo mundo, um por um; depois todo o grupo entrou em acordo e, juntos, fizeram Pier Lingera beber água.

Então Gian Maria, chamando o Mariassa, propôs: — O navio! Vamos para o navio!

Ainda estava lá a embarcação atravessada no porto, afundada durante a guerra pelos alemães para obstruí-lo. Aliás, havia duas, uma em cima da outra: a que se avistava estava apoiada sobre outra, toda submersa.

— Vamos! — todos disseram.

— É possível subir nele? — indagou Menin. — Está minado.

— Minado coisa nenhuma! — respondeu Carruba. — O pessoal da Arenella sobe nele quando quer, e todos brincam de guerra.

Começaram a nadar rumo ao navio.

— Turma! Todos comigo! — disse Cicin, que queria bancar o líder: mas os outros eram mais rápidos que ele e o deixaram para trás, exceto Menin, que nadava de peito e era sempre o último.

Chegaram ao navio, que erguia suas amuradas escurecidas de piche velho, nuas e musguentas, com as estruturas de cima desmanteladas contra o novo céu azul. Uma barba de algas pútridas subia a recobri-lo pela quilha, e a tinta antiga descascava em grandes segmentos: os meninos nadaram ao redor e depois pararam sob a popa, olhando o nome quase apagado: *Abukir, Egypt*. A corrente da âncora, estirada de forma oblíqua, de vez em quando oscilava ao balanço da maré, rangendo nos enormes anéis enferrujados.

— Não vamos subir — disse Bombolo.

— Que nada — fez Pier Lingera, que já se agarrara com mãos e pés à corrente. Trepou nela como um macaco, e os outros o acompanharam.

Na metade do percurso, Bombolo escorregou e tornou a bater de pança no mar; Menin não conseguia subir, e dois precisaram puxá-lo para cima.

A bordo, começaram a circular em silêncio pelo navio desmantelado: estavam procurando a roda do timão, a sirene, as escotilhas, os botes salva-vidas, todas essas coisas que costumam fazer parte de um navio. Mas ele estava despojado feito uma jangada, coberto apenas pelo esterco esbranquiçado das gaivotas. Havia umas cinco ali, pousadas numa amurada; ao ouvirem os passos descalços do bando, alçaram voo uma a uma, com grandes batidas de asa.

— Uhá! — Paulò as imitou, atirando atrás da última um parafuso que estava solto.

— Turma: vamos para as máquinas! — disse Cicin. Brincar no meio do maquinário ou na estiva com certeza seria mais divertido.

— Será que é possível descer até o navio que está embaixo? — perguntou Carruba. Isso seria o máximo: ficar lá no fundo, todos fechados, com o mar em torno e em cima, como num submarino.

— O navio de baixo está minado! — falou Menin.

— Quem está minado é você! — lhe disseram.

Começaram a descer por uma escadinha. Pararam depois de poucos degraus: a seus pés começava a água escura, chacoalhando no local fechado. Os meninos da Piazza dei Dolori olhavam parados e em silêncio; no fundo daquela água, um brilho negro de agulhas: colônias de ouriços que moviam lentos as espinhas. E as paredes em volta estavam todas encrustadas de moluscos com a casca peluda de algas verdes, grudados no ferro dos compartimentos que parecia vermelho. E havia um rebuliço de caranguejos às margens da água, milhares de caranguejos de todas as formas e todas as idades, que rodopiavam sobre

as patas curvas e rajadas, arreganhando as garras e espichando os olhos sem visão. O mar rebatia surdo no quadrado dos muros de ferro, lambendo os ventres achatados dos caranguejos. Talvez toda a estiva do navio estivesse lotada de caranguejos tateantes, e um dia a embarcação se movesse sobre as patas dos caranguejos, caminhando pelo mar.

Tornaram a subir ao convés e foram para a proa. Então viram a menina. Não a tinham visto antes, apesar de parecer ter sempre estado ali. Era uma menina de uns seis anos, gorda, com cabelos compridos e encaracolados. Estava toda bronzeada e vestia apenas uma calcinha branca. Não dava para entender de onde tinha vindo. Nem sequer olhou para eles. Estava toda concentrada numa medusa emborcada sobre o piso de madeira, com as grinaldas moles dos tentáculos espalhados ao redor. Com um espeto, a menina tentava recolocá-la com a calota para cima.

Os meninos da Piazza dei Dolori pararam ao redor dela, boquiabertos. Mariassa foi o primeiro a se aproximar. Disse entredentes:

— Quem é você?

A menina ergueu os olhos celestes na cara bochechuda e escura; depois recomeçou a mexer por baixo da medusa com o espeto.

— Deve ser do pessoal da Arenella — disse Carruba, que era prático.

Os meninos da Arenella tinham meninas que vinham nadar e se divertir com eles, e até brincar de guerra com varas de bambu.

— Você é nossa prisioneira — falou Mariassa.

— Turma — fez Cicin. — Capturem-na viva!

A menina continuava mexendo na medusa.

— Cuidado! — gritou Paulò, que por acaso olhou para trás.

— A turma da Arenella!

Enquanto estavam atentos à menina, os garotos da Arenella, que passavam os dias no mar, tinham chegado nadando debaixo d'água, subiram em silêncio pela corrente da âncora e escalaram calados as amuradas. Eram meninos baixos e troncudos, leves como gatos, de cabelos raspados e pele escura. Seus calções não eram pretos, compridos e folgados como os dos meninos da Dolori, mas feitos apenas de uma faixa de tecido branco.

Começou a luta; os meninos da Piazza dei Dolori eram magros e rijos, exceto Bombolo, que era barrigudo, e mostravam uma raiva fanática ao trocar socos, aguçada nas longas pancadarias travadas nos becos da cidade velha contra as gangues de San Siro e dos Giardinetti. No início, a turma da Arenella se deu melhor por causa da surpresa, mas depois os da Piazza se agarraram nas escadinhas e não houve quem os tirasse dali, porque não deixavam de jeito nenhum que os arrastassem até as amuradas, de onde era fácil ser jogado no mar. No final, Pier Lingera, que era mais forte que os companheiros e também mais velho — e só andava com eles porque era repetente —, conseguiu fazer que um da Arenella recuasse até a borda e o atirou ao mar.

Então os da Piazza passaram à ofensiva: os da Arenella, que se sentiam mais à vontade na água e, gente prática, não tinham pruridos de honra na cabeça, escaparam um a um dos inimigos e mergulharam.

— Venham nos combater na água, se tiverem coragem — gritaram.

— Turma! Todos comigo! — berrou Cicin, e já estava pronto para mergulhar.

— Você é idiota? — o deteve Mariassa. — Na água eles acabam com a gente! — E começou a gritar insolências aos fugitivos.

Os da Arenella passaram a lançar água lá de baixo; e a jogavam tão forte que não havia lugar no navio aonde seus jatos não chegassem. Por fim, se cansaram e se afastaram de cabeça baixa e braços arqueados, erguendo o rosto de vez em quando para respirar com breves esguichos.

Os da Piazza dei Dolori eram os donos do campo. Foram até a proa: a menina continuava lá. Tinha conseguido virar a medusa e agora tentava erguê-la no espeto.

— Deixaram um refém com a gente! — fez Mariassa.

— Turma! Um refém! — se excitou Cecin.
— Covardes! — gritou Carruba para os fugitivos. — Deixar as mulheres nas mãos do inimigo!
Na Piazza dei Dolori, todos tinham um senso de honra elevado.
— Venha com a gente — disse Mariassa, e fez menção de tocar no ombro dela.
A menina fez-lhe um gesto para que ficasse parado: estava quase conseguindo levantar a medusa. Mariassa se inclinou para olhar. Então a menina ergueu o espeto com a medusa equilibrada na ponta, a levantou, a levantou e jogou a medusa na cara de Mariassa.
— Porca! — gritou Mariassa, cuspindo e apertando o rosto.
A menina olhava para todos e ria. Então se virou, foi bem para a ponta da proa, ergueu os braços, juntando-os até a ponta dos dedos, e se atirou de cabeça, nadando para longe sem se virar para trás. Os meninos da Piazza dei Dolori não deram um passo.
— Digam — perguntou Mariassa, apalpando uma bochecha. — É verdade que as medusas queimam toda a pele?
— Espere um pouco e já vai saber — fez Pier Lingera. — Mas é melhor que você mergulhe logo.
— Vamos! — disse Mariassa, encaminhando-se com os outros.
Depois parou: — De agora em diante precisamos ter também uma mulher em nossa gangue! Menin! Traga sua irmã para a turma!
— Minha irmã é idiota — disse Menin.
— Não importa — falou Mariassa —, vamos — e deu um empurrão em Menin, jogando-o no mar, porque de todo modo ele não sabia mergulhar. Depois mergulharam todos.

O JARDIM ENCANTADO

Giovannino e Serenella caminhavam pela estrada de ferro. Embaixo havia um mar de escamas azul-escuro e azul-claro; no alto, um céu estriado de leve por nuvens brancas. Os trilhos estavam tão quentes e brilhantes que queimavam. Caminhava-se bem pela estrada de ferro, e era possível fazer várias brincadeiras: ele se equilibrar em um trilho e ela, em outro, e avançarem de mão dadas, ou então pular de um dormente a outro sem nunca pôr os pés nas pedras. Giovannino e Serenella tinham ido pegar caranguejos e agora decidiram explorar a estrada de ferro até o interior do túnel. Brincar com Serenella era muito bom porque ela não fazia como as outras meninas, que sempre têm medo e começam a chorar por qualquer contrariedade: quando Giovannino dizia: — Vamos lá? — Serenella sempre o seguia sem discussão.

Dong! Os dois estremeceram e olharam para cima. Era um disco de passagem que estalara no topo de um poste. Parecia uma cegonha de ferro que tinha fechado o bico de repente. Ficaram um instante com o nariz para o céu, a olhar: que pena não terem visto! Agora não estalaria mais.

— Um trem está vindo — disse Giovannino.

Serenella não se moveu do trilho. — De onde? — perguntou.

Giovannino olhou ao redor, com ar de entendido. Apontou para o buraco negro do túnel, que se mostrava ora límpido, ora

desfocado através do trêmulo vapor invisível que emanava das pedras da estrada.
— De lá — falou. Parecia que já estavam ouvindo o ronco sombrio do túnel e vendo o trem se lançar sobre eles, trepidando fumaça e fogo, com as rodas a devorar os trilhos sem piedade.
— Para onde vamos, Giovannino?
Havia grandes agaves cinzentos na direção do mar, com raios de acúleos impenetráveis. Rumo ao monte corria uma sebe de ipomeias carregada de folhas sem flores. Ainda não se escutava o trem: talvez corresse com a locomotiva apagada, sem fazer barulho, e num piscar de olhos saltasse sobre eles. Mas Giovannino já tinha achado um buraco na sebe. — Por ali.
Sob as trepadeiras da sebe havia uma rede metálica semi-destruída. Em determinado ponto, ela se desdobrava do chão como um canto de página. Giovannino já sumira pela metade, escapulindo lá dentro.
— Me dê uma mão, Giovannino!
Viram-se em um canto de jardim, ambos de quatro num canteiro, com o cabelo cheio de folhas secas e terra. Tudo em silêncio ao redor; nenhuma folha se mexia.
— Vamos — disse Giovannino, e Serenella respondeu: — Vamos.
Havia grandes e antigos eucaliptos cor de carne, e pequenas alamedas de cascalho. Giovannino e Serenella caminhavam por elas na ponta dos pés, atentos ao chiado das pedrinhas sob os passos. E se agora os donos chegassem?
Tudo era tão bonito: frondes estreitas e altíssimas de folhas de eucalipto e retalhos de céu; só restava aquela ansiedade por dentro, do jardim que não era deles e de onde talvez fossem expulsos a qualquer momento. Mas não se ouvia nenhum ruído. De uma moita de medronhos, numa curva, um bando de pardais alçou voo aos gritos. Depois o silêncio voltou. Seria um jardim abandonado?
Mas a certa altura a sombra das grandes árvores terminava, e eles se viram a céu aberto, diante de canteiros bem-cuidados de petúnias e convólvulos, e alamedas com balaustradas e espal-

deiras de buxo. E, no alto do jardim, uma grande *villa* com vidraças reluzentes e cortinas amarelas e laranja.

Tudo estava deserto. Os dois se aproximavam cautelosos pelo cascalho: talvez as vidraças se abrissem subitamente, e senhores e senhoras surgissem nos terraços, e cães ferozes fossem soltos das coleiras e corressem para as alamedas. Perto de uma valeta encontraram um carrinho de mão. Giovannino o pegou pelos braços e o empurrou para a frente: emitia um rangido a cada giro da roda, como um assovio. Serenella se sentou nele, e os dois avançaram calados: Giovannino empurrando o carrinho com ela em cima, margeando os canteiros e os esguichos d'água.

— Aquela — Serenella dizia baixinho de tanto em tanto, indicando uma flor. Giovannino apoiava o carro, ia arrancá-la e dava para ela. Já tinha umas lindas num pequeno maço. Mas, se tivesse que pular as sebes em fuga, talvez precisasse jogá--las fora!

Assim chegaram a uma esplanada onde o pedrisco terminava e começava um piso de concreto e lajotas. No meio dessa esplanada se abria um grande retângulo vazio: uma piscina. Foram até a beirada: era toda de azulejos azuis, repleta de água clara até a borda.

— Vamos mergulhar? — perguntou Giovannino a Serenella. Na certa devia ser bem perigoso, já que ele lhe perguntava em vez de apenas dizer: — Pule! — Mas a água era límpida e azul, e Serenella nunca tinha medo. Desceu do carrinho de mão e deixou nele o ramalhete. Já estavam em roupas de banho: tinham catado caranguejos até aquela hora. Giovannino mergulhou não do trampolim, porque o baque faria barulho, mas da borda. Foi bem fundo e de olhos abertos, só via o azul, e as mãos como peixes rosados; não era como debaixo da água do mar, cheia de sombras informes verde-escuras. Uma sombra rosa acima de si: Serenella! Deram-se as mãos e reemergiram na outra ponta, um pouco apreensivos. Não, não havia mesmo ninguém para observá-los. Não era tão bonito quanto imaginavam: restava sempre aquele fundo de amargura e ansiedade, de que tudo aquilo não lhes pertencia e que podiam ser enxotados dali logo, logo.

Saíram da água e bem perto da piscina acharam uma mesa de pingue-pongue. Imediatamente Giovannino bateu com a raquete na bola: Serenella foi rápida do outro lado e rebateu a bola para ele. Jogavam assim, dando batidas suaves, para que não escutassem de dentro da *villa*. De repente um lance repicou alto, e para defendê-lo Giovannino fez a bola voar para longe; ela bateu num gongo suspenso entre as traves de uma pérgola, que vibrou grave e longamente. Os dois se encolheram atrás de um canteiro de ranúnculos. De repente chegaram dois criados em uniforme branco, carregando grandes bandejas; pousaram as bandejas numa mesa redonda sob um guarda-sol listrado de amarelo e laranja e foram embora.

Giovannino e Serenella se aproximaram da mesa. Havia chá, leite e pão de ló. Era só se sentar e se servir. Encheram duas xícaras e cortaram duas fatias. Mas não conseguiam ficar confortáveis, se mantinham na beirada das cadeiras, mexendo os joelhos. E não conseguiam sentir o sabor do doce e do chá com leite. Cada coisa naquele jardim era assim: linda e impossível de desfrutar, com o mal-estar por dentro e aquele medo de que tudo fosse apenas uma distração do destino, de que logo seriam chamados a prestar contas.

Bem de mansinho se aproximaram da *villa*. Por entre as ripas de uma veneziana viram, lá dentro, um belo aposento penumbroso, com coleções de borboletas nas paredes. E nesse aposento estava um jovem pálido. Devia ser o dono da *villa* e do jardim, homem de sorte. Estava reclinado numa espreguiçadeira e folheava um grande livro ilustrado. Tinha mãos finas e brancas e vestia um pijama de gola alta, embora fosse verão.

Agora, enquanto o espiavam entre as ripas, aos poucos a palpitação que sentiam foi se extinguindo. De fato, aquele jovem rico parecia se sentar e folhear aquelas páginas e olhar em torno de si com mais ansiedade e incômodo que eles. E se levantava na ponta dos pés como se temesse que alguém, a qualquer momento, pudesse vir expulsá-lo, como se sentisse que aquele livro, aquela espreguiçadeira, aquelas borboletas emolduradas nas paredes e o jardim com os jogos e as merendas e as piscinas e as alamedas fossem concedidos a ele apenas por um imenso equívoco, e ele estivesse impossibilitado de desfrutá-los, somente experimentando sobre si a amargura daquele erro, como se fosse sua culpa.

O jovem pálido circulava pelo aposento em penumbra a passos furtivos, acariciava as margens das vitrines consteladas de borboletas com os dedos brancos e se detinha para escutar. Agora a apagada palpitação de Giovannino e Serenella ressurgia mais aguda. Era o medo de que um encantamento pesasse sobre aquela *villa* e aquele jardim, sobre todas aquelas coisas lindas e confortáveis, como uma antiga injustiça cometida.

O sol se escureceu de nuvens. Giovannino e Serenella foram embora de fininho. Refizeram o percurso pelas estreitas alamedas, a passos ágeis, mas sem jamais correr. E atravessaram a sebe de quatro. Entre os agaves encontraram uma trilha que levava para a praia, curta e pedregosa, com amontoados de algas que acompanhavam a orla do mar. Então inventaram uma bela brincadeira: batalha de algas. Atiraram punhados delas na cara um do outro até anoitecer. O bom é que Serenella não chorava nunca.

ALVORADA SOBRE OS GALHOS NUS

Não costuma gear entre nós: apenas de manhã os maços de alface acordam entorpecidos, um pouco pálidos, e a terra forma uma crosta cinza, quase lunar, que responde surdamente à enxada. Ao pé das árvores, em dezembro, a terra começa a pigmentar-se de folhinhas amarelas que pouco a pouco a recobrem como uma colcha suave. O inverno é mais transparência do ar que frio; e nesse ar, sobre os galhos esqueléticos, se acendem centenas de lampadinhas vermelhas: os caquis.

Naquele ano o pequeno pomar parecia um séquito de vendedores de balão, com sua carga suspensa no ar: nove naquele galho bifurcado, seis naquele outro, retorcido, e lá em cima pareciam escassear, mas talvez fosse o vazio das folhas caídas; os virados para o sul eram os mais vermelhos, amadureceriam mais cedo. Assim todas as manhãs Pipin, o Maiorca, passava em revista suas oito árvores, verificando se faltavam frutas, pesando com os olhos a carga dos galhos, convertendo mentalmente a carga em dinheiro, imaginando o dinheiro pendurado nos galhos nus em lugar das frutas: notas sebentas de cem e de mil esvoaçando, e infelizmente não discos de prata e ouro reluzindo nos ramos.

Melhor que cédulas, bom era ter moedas, que podiam até ser enterradas ao pé de um muro num vaso, em vez de mofar e serem comidas pelos ratos. Porém, prata ou papel, o círculo sempre terminava ali, no dinheiro, que podia continuar circu-

29

lando, transformar-se em fosfato, em cianamida, tornar-se suco da terra, força que sobe pelas raízes com a doçura de tomates, o amargor de alcachofras, para depois, inevitavelmente, acabar ali: no dinheiro.

— Alegria, Maiorca, você vai ver como o dinheiro italiano vai ficar depois da guerra! — Quem falava assim era Saltarel, o vêneto que morava nas casas do Paraggio, ao passar pela trilha para capinar as terras de cima. Pipin parava com a enxada e erguia para o outro a barbicha grisalha como um pombo: — Está falando sério, Veneza? — Ele então ria e começava a falar em vêneto, explicando para que o dinheiro serviria; Maiorca ficava acocorado na terra, decepcionado, fazendo vagos gestos de protesto. Era possível entender a filoxera mirrando os vinhedos, a mosca estragando as olivas, a lagarta perfurando a alface, mas o dinheiro, o dinheiro do governo, que bicho era capaz de roê-lo a ponto de não valer mais nada? Para atacar as colheitas já havia cupins que roíam as raízes, cochonilhas e caracóis nas folhas, besouros nas flores, larvas nos frutos; só faltava esse bicho misterioso que podia arruinar as colheitas mais ricas, tratadas com mil cuidados, quando já tinham sido vendidas, comendo o dinheiro! Os "veneza" eram gente miserável e errante, emigrados daquelas bandas nos anos da crise, gente que mais cedo ou mais tarde acabaria nas cidades trabalhando de gari, como os "napolitanos", isto é, os do Abruzzo, seus camaradas: é por isso que falavam assim.

Muitos já eram os bichos que se infiltravam entre Pipin, o Maiorca, e os frutos de sua terra; e o mais insidioso era um bicho contra o qual não valiam inseticidas e venenos, um bicho noturno com mãos de homem e passo de lobo: os ladrões. Os campos formigavam de ladrões: gente vadia, sem terra e sem trabalho. Ali pelos caquis com certeza havia passado alguém de noite, um forasteiro, pisando nos canteiros de alho; Pipin perscrutava as árvores galho a galho, inquieto. Lá estava, na quinta árvore, um galho inteiro, carregado: para arrancar uma fruta, um galho carregado de frutas ainda verdes, para arrancar uma fruta ainda verde, o galho estava ali, quebrado no chão. —

Malditos! — trovejou Maiorca, levantando os punhos contra as casas do Paraggio no alto da colina, uma fila de casas térreas e cor de mofo, como os vilarejos de cortiça dos presépios, que pareciam prestes a desmoronar pelo vale, bastava que ele gritasse um pouco mais forte.

Maiorca foi ao Paraggio com o galho partido na mão como um cajado, com todos os caquis pendurados, batendo-o forte no chão para que o ouvissem. Numa porta apareceu a mulher de Saltarel, com o rosto vermelho e desdentado: — Já montou sua árvore de Natal, Pipin? Mas olha que é preciso um pinheiro, não um *caquizeiro*.

As pontas dos bigodes de Maiorca vibravam como as de um gato.

— Se eu pego quem está vindo roubar meus caquis — disse —, dou um tiro! Hoje à noite carrego minha espingarda com chumbinho e sal!

Saiu o mais velho dos "veneza", Cocianci.

— Já que você veio, aproveite para azeitá-la bem, Maiorca — falou —, assim pode comer sua espingarda com salada.

E nas portas dos casebres todos o vênetos começaram a debochar de Maiorca, que se afastava xingando.

Se estivessem coloridos a ponto de ser possível colhê-los e esperar que amadurecessem em casa; mas não, era preciso deixá-los mais um tempo nas árvores, à mercê daquela gente que trazia o vício do roubo nos ossos como a fome, gente que arrancava os galhos para depois talvez pisoteá-los no chão meio mordidos, sentindo-os ácidos.

Era preciso montar guarda aos caquis durante a noite, com a espingarda: Pipin ficaria lá do pôr do sol até meia-noite, e sua mulher o renderia da meia-noite ao alvorecer.

Pipin e a mulher moravam numa choupana coberta de fuligem, enfeitada com tranças de alho e, em volta, gaiolas de coelhos em vez de vasos de flores. Bastianina, a Maiorca, trabalhava duro que nem o marido e revolvia a terra com o forcado depois de ele a romper com o arado, ambos de rostos e braços marrons como a terra revolvida: ela, desgrenhada, usando um vestido que parecia um saco, os pés nas botinas; ele, descalço, o colete rasgado no torso nu e peludo como um cacto, o cavanhaque e o bigode parecendo um pombinho cinzento pousado naquela face carcomida pelas rugas.

O terreno dos caquis ficava além da trilha, em um lugar úmido e à sombra, acima de um riacho. O Maiorca chegou quando já estava escuro, com a espingarda a tiracolo, a mesma com que quarenta anos antes acertara uma raposa. No escuro, as árvores pareciam enormes pássaros empoleirados numa perna só. Ao distinguir os galhos carregados de frutas sob a mira da espingarda, Pipin experimentou uma sensação de suave segurança, como um menino com um brinquedo debaixo do travesseiro.

O correr do riacho esmerilhava o silêncio; as distâncias no escuro eram apenas o latido longínquo dos cães. Acostumando os ouvidos, era possível distinguir os rumores de risos e cantos nas casas dos vênetos, lá no Paraggio; acostumando os olhos, era possível discernir lá no alto o clarão das fogueiras acesas na vigília. Os vênetos cantavam e dançavam à noite: a sobrinha roliça de Cocianci se punha a dançar com as saias ao vento, enquanto todos os homens marcavam o ritmo com as mãos. Depois o velho Cocianci a abraçava, sentado, pelas coxas; quantas coisas nojentas os vênetos aprontavam de noite: Saltarel se embebedava e batia na mulher toda noite, dizendo que era uma cavala, e ela nunca ia mostrar os machucados à polícia. A certa hora, assim que os cantos diminuíam, os vênetos saíam se esgueirando em direção aos terrenos de Maiorca: eis que todos surgiam no muro e saltavam em cima dele; a roliça de Cocianci começava a requebrar as coxas nuas em sua frente, enquanto o velho roubava os caquis. Chega! Ai de quem se deixa sonhar acordado: subitamente cai no sono. Em vez disso, há que manter olhos e ouvidos atentos: o vento que corria entre os juncos do riacho podia ser um ladrão que se aproximava. Não: lá em cima a cantoria e as risadas continuavam, tudo estava parado e deserto.

Às vezes Pipin se sentia terrivelmente só naqueles seus pedaços de terra, em meio àqueles bichos, bichos no alto, embaixo, em volta, que queriam comer seus campos com ele dentro: debaixo da terra estava cheio de minhocas, sobre a terra, ratos, e no céu só havia pardais; e ainda agentes do fisco, especuladores de fertilizantes, ladrões. Diante da terra sentia um vago sentimento de impotência, como se jamais conseguisse possuí-la de todo, como quando se sonha possuir uma mulher e não se consegue. Era um grande moedor escuro, a terra, que desfaz e transforma tudo, com sucos misteriosos que sobem dos torrões pelas raízes, até inchar os caquis de açúcar e tanino sobre os galhos; uma moedora de torrões que continua abaixo ao infinito, sempre sua, até o centro do mundo, onde começa a outra pirâmide de terra do outro Pipin Maiorca dos antípodas. Pipin Maiorca gostaria de submergir na terra com todo o corpo, respirá-la, levar consigo todo o seu dinheiro num vaso, e a casa, e todas as coisas, os coelhos, a mulher; assim se sentiria seguro. Viver soterrado, é o que queria, na terra quente e preta que ele rasgava fundo com seu arado. Mas esses pensamentos eram de quem dormia, e ele dormia.

A noite sem lua parecia parada em meio ao tempo. Nunca chegava a meia-noite? Talvez sua mulher não tivesse acordado e o deixasse ali até de manhã. Pipin se sacudiu, caminhou debaixo de cada árvore olhando as frutas como se, enquanto ele estava semiadormecido, o tivessem roubado bem debaixo de seu nariz. Mas talvez, enquanto passava para revistar da primeira à segunda e à terceira árvores de caquis, um macaco saltasse mão a mão de uma árvore para outra, pondo as frutas num saco sem ser visto. Eram cem macacos escondidos entre os ramos de todas as árvores, macacos asquerosos, sem pelo, com a cara debochada de Saltarel, que lhe pregavam peças.

Mas lá vinha uma luz se aproximando pelos campos: era verdade ou era mais uma zombaria dos macacos? Era preciso acordar ou atirar neles? — Pipin! Pipin! — A voz de sua mulher, baixinho. — Bastiana! — Era a troca de turno, ela chegou com a lanterna; Pipin lhe passou a espingarda e foi dormir.

33

A Maiorca segurava a espingarda como um soldado, caminhando para a frente e para trás pelo terreno. Tinha olhos amarelados à noite, como uma coruja: mesmo que fosse o diabo a lhe meter medo, ela entenderia que se tratava de um arbusto. De repente viu uma pedra se mover aos saltos pela trilha. Tocou-a com o pé: era mole feito carne. Um sapo: ficaram se olhando por um momento, a mulher e o sapo, e depois ele seguiu por um caminho e ela, por outro.

No dia seguinte, Bastianina disse que o segundo turno era mais pesado, que naquela noite ela faria o primeiro. Pipin aceitou; quem o acordou à meia-noite foi ela, que o tirou da cama. Caminhando, enquanto fechava atrás de si a cancela que dava para o terreno dos caquis, Pipin ouviu um passo pela trilha; quem vagava pelos campos àquela hora? Era Saltarel.

— Maiorca, você está vigiando a coruja a esta hora com a espingarda?

— A coruja, sim — respondeu Maiorca —, a coruja que vem bicar meus caquis.

"Assim já ficam sabendo", pensou, "e não virão esta noite."

— Mas de onde você está vindo a esta hora, Veneza?

— Fui comprar azeite. Amanhã vou ao Piemonte com Cocianci e levamos o arroz.

Os vênetos tinham se metido no mercado negro.

— Bons negócios, Veneza.

— E boa coruja, Maiorca.

Apurando os ouvidos para além do terreno dos caquis, tudo estava em silêncio. Mesmo na casa do vênetos, nenhuma luz, nenhuma voz. Saltarel não espancaria a mulher naquela noite; mas talvez o velho Cocianci estivesse na cama com a sobrinha roliça naquele momento. Pipin pensou em sua cama ainda quente, com Bastiana que já roncava. Naquela noite não viriam, sabiam que ele estava de sentinela, e de manhã deviam partir cedo para o Piemonte. Pronto: Pipin voltaria para dormir, pisando de leve para não acordar a mulher; depois, pouco antes do alvorecer, iria dar uma olhada.

Foi para casa e se enfiou entre os lençóis bem devagar, ao lado da mulher, que continuaria roncando mesmo se um cavalo se deitasse. Mas não conseguia pegar no sono; o que aconteceria se ele não acordasse ao alvorecer e a mulher o flagrasse na cama? E se viessem outros ladrões? De repente ficou na dúvida se havia deixado a cancela aberta: Saltarel o tinha visto enquanto ele a fechava, os vênetos perambulavam a noite toda feito gatos, se a encontrassem aberta logo entenderiam que ele tinha ido embora. Pipin não conseguia pregar o olho: era um tormento ficar assim na cama, sem sequer poder se virar por medo de acordar a mulher, enquanto os ladrões andavam por seus campos. Então por que não se levantava, por que não ia ver? O céu já começava a clarear, ao primeiro canto do galo ele levantaria. Mas eis que da trilha vinham ruídos de passos a descer: quem seria àquela hora? Com certeza Cocianci e Saltarel, que partiam para o Piemonte. Passos quase de corrida, pesados: deviam estar carregados, carregados de latas de azeite, carregados de cestas de caquis roubados agorinha mesmo, que iam vender no Piemonte! Pipin pulou da cama, pegou a espingarda e saiu.

A cancela: fechada; suspirou. No entanto, ao se aproximar do terreno não conseguiu avistar o vermelho das frutas; eram as outras árvores que impediam a visão, os juncos, as oliveiras. Agora, assim que contornasse esse muro, ele as veria e ficaria tranquilo. Deu a volta no muro. Havia uma sensação de vazio ao redor. A barba e o bigode, pequeno pombo cinzento, estremeceram como se fossem alçar voo de sua boca. No ar lívido da alvorada, as árvores erguiam ao céu uma teia de galhos nus. Nem sequer uma fruta restara pendurada. — Malditos! — urrou o homem com os punhos erguidos no terreno.

Em casa, a Maiorca estava se levantando.
— Pipin, fez uma boa guarda?

Pipin se sentou num banco com a espingarda ainda a tiracolo, cabisbaixo.

— O que é que você tem, Pipin? Por que não me responde?

Pipin estava calado, sem levantar a cabeça.

— Quanto acha que os caquis vão render este ano no mercado?

"Preciso fazê-la se calar", pensava Pipin.

— Quanto acha que vamos fazer?

Pipin se levantou. Pegou um pau daqueles de apertar as tiras do selim.

— Eu acho que vamos encher trinta cestas — continuava a mulher.

Pipin viu a barra da porta, largou o pau do selim e pegou a barra.

— Nunca tivemos uma colheita como essa, não é, Pipin?

Então Pipin Maiorca começou a golpeá-la.

DE PAI PARA FILHO

Poucos bois em nossa região. Não há campos de pastagem nem grandes campinas a arar: há apenas arbustos secos para o gado e pequenas faixas de uma terra que não se rompe senão com a enxada. De resto, bois e vacas, largos e plácidos como são, destoariam destes vales estreitos e íngremes; aqui só vinga o gado magro, todo nervos e músculos, que pode caminhar pelas pedras acima: mulas e cabras.

O boi dos Scarassa era o único do vale e não destoava, porque era mais forte e dócil que uma mula, um pequeno boi atarracado, robusto, de carga: se chamava Morettobello. Os dois Scarassa, pai e filho, ganhavam a vida com esse boi, fazendo viagens pelas várias propriedades do vale, levando sacos de trigo ao moinho, ou folhas de palmeira aos transportadores, ou sacos de adubo da cooperativa.

Naquele dia Morettobello vacilava sob a carga equilibrada nas duas extremidades da canga: cortes de lenha de oliveira para vender a um cliente da cidade. Do anel atravessado nas narinas negras e macias, a corda afrouxada se arrastava na terra e terminava nas mãos balançantes de Nanin, filho de Battistin Scarassa, seco e macilento como o pai. Eram uma dupla estranha: o boi de pernas curtas, barriga baixa e larga como um sapo, dava passos prudentes sob a carga; Scarassa, com a cara comprida e hirsuta de pelos ruivos, os pulsos descobertos por mangas demasiado curtas, dava passadas para a frente parecendo ter dois joelhos em cada perna e vestia calças que, quando o vento soprava, se agitavam que nem velas, como se não houvesse ninguém dentro.

Era uma manhã de primavera; ou seja, havia no ar aquela sensação repentina de descoberta que se experimenta todos os anos, numa manhã, aquele recordar-se de algo como esquecido havia meses. Morettobello, em geral tão tranquilo, estava inquieto. Naquela manhã, ao buscá-lo no curral, Nanin já não o encontrara; estava no meio do campo, girando ao redor os olhos perdidos. Agora, andando, Morettobello parava de vez em quando, levantava as narinas atravessadas no anel e farejava o ar com um breve mugido. Nanin dava um puxão na corda e emitia aquela voz gutural na linguagem que se costuma usar entre homens e bois.

Morettobello parecia de vez em quando tomado por um pensamento: naquela noite tinha tido um sonho, por isso saíra do curral e, de manhã, se viu perdido no mundo. Havia sonhado coisas esquecidas, como de uma outra vida: grandes planícies relvosas e vacas, vacas, vacas a perder de vista, que avançavam mugindo. E tinha visto até a si mesmo, lá no meio, correndo entre o bando de vacas como se caçasse. Mas havia alguma coisa que o prendia, uma tenaz vermelha fincada em suas carnes, que lhe impedia de atravessar o bando. De manhã, ao caminhar, Morettobello sentia a ferida vermelha da tenaz ainda viva no corpo, como um desespero inefável no ar.

Pelas estradas só se viam meninos vestidos de branco, com uma faixa franjada de ouro no braço, e meninas vestidas de noiva: era o dia da crisma. Ao vê-los, algo escureceu no fundo da alma de Nanin, como um medo antigo e furioso. Talvez fosse porque seu filho e sua filha jamais teriam aquelas roupas brancas para a crisma? Claro, deviam custar muito. Então foi tomado de raiva, um desejo intenso de crismar os filhos: já via o menino com a roupa branca à marinheira, a faixa no braço com a franja de ouro, e a menina com o véu e a cauda do vestido na igreja toda de sombra e brilhos.

O boi bufou: recordava o sonho, via o rebanho de vacas

galopantes como numa zona fora de sua memória, e ele que prosseguia entre elas sempre mais cansado. De repente, em meio ao bando de vacas, numa pequena elevação, vermelho como a dor da ferida, apareceu o grande touro, de chifres como foices que tocavam o céu, a se lançar mugindo contra ele.

Na praça da igreja, os meninos da crisma começaram a correr em torno do boi. — Um boi! Um boi! — gritavam. Um boi era uma visão insólita naquelas bandas. Os mais corajosos se arriscavam a tocar sua barriga, os mais espertos olhavam debaixo da cauda: — É castrado! Olhem para ele! É castrado! — Nanin se pôs a gritar e a socar o ar, para afugentá-los. Então os meninos, vendo-o assim tão seco, macilento e remendado, começaram a arremedá-lo e a caçoar de seu nome: — Scarassa! Scarassa! — que quer dizer pau de vinha.

Nanin sentiu aquele antigo medo ficar mais vivo, mais angustiante. Via outros meninos vestidos de crisma que debochavam dele, que zombavam não dele, mas de seu pai, macilento, seco e remendado que nem ele, no dia em que o acompanhara à crisma. E tornou a sentir viva como então aquela vergonha que sentira do pai, ao ver os meninos pulando em volta dele e lhe atirando as pétalas de rosa pisadas pela procissão, chamando-o: "Scarassa". Aquela vergonha o acompanhara por toda a vida, o enchera de medo a cada olhar, a cada riso. E era tudo culpa do pai; o que ele herdara do pai senão a miséria, a estupidez e a falta de jeito de um magricela? Ele odiava o pai — agora se dava conta disso — por aquela vergonha infligida na infância, por toda a vergonha, a miséria de sua vida. E naquele momento lhe veio o temor de que seus filhos se envergonhassem dele assim como ele do pai, que um dia o olhassem com o ódio que naquele instante tomava seus olhos. Decidiu: "Eu também vou comprar uma roupa nova para o dia da crisma deles, uma roupa quadriculada, de flanela. E um gorro de lona branca. E uma gravata colorida. E minha esposa também vai comprar um vestido novo, de tecido, grande o suficiente para quando estiver grávida. E iremos todos juntos, bem-vestidos, até a praça da igreja. E compraremos um sorvete na carrocinha do sorveteiro".

Mas nele persistia uma ânsia que não sabia como exaurir, depois de ter comprado o sorvete, de ter circulado pela feira vestido de festa, uma ânsia de fazer, de gastar, de se mostrar, de se redimir daquela vergonha infantil que o acompanhara a vida inteira.

Ao chegar em casa, levou o boi para o curral e lhe tirou a canga. Depois foi comer; a mulher, as crianças e o velho Battistin já estavam à mesa, engolindo uma sopa de favas. O velho Scarassa, Battistin, pescava as favas com os dedos e as chupava, cuspindo a película. Nanin não prestava atenção ao que falavam.

— As crianças precisam fazer a crisma — falou. A mulher ergueu para ele a face abatida e despenteada.

— E o dinheiro para a roupa? — indagou.

— Vão precisar de roupas bonitas — continuou Nanin, sem olhar para ela. — O menino de marinheiro, branco, com a franja de ouro no braço; e a menina de noiva, com o véu e a cauda.

O velho e a mulher o olhavam boquiabertos.

— E o dinheiro? — repetiram.

— E eu vou comprar para mim uma roupa de flanela, quadriculada — continuou Nanin —, e você, um vestido de tecido, grande o suficiente para quando estiver grávida.

A mulher teve uma ideia: — Ah, já sei! Achou um comprador para a terra do Gozzo.

A terra do Gozzo era um campo herdado, todo de pedras e arbustos, que os fazia pagar impostos sem render nada. Nanin se irritou por acreditarem nisso: estava dizendo coisas absurdas, mas insistia nelas, com raiva.

— Não, não achei ninguém. Mas nós precisamos ter tudo isso — ele teimou, sem levantar os olhos do prato. Mas os outros já estavam cheios de esperança: se tinha achado comprador para as terras do Gozzo, todas as coisas que disse eram possíveis.

— Com o dinheiro da terra — disse o velho Battistin —, vou poder operar minha hérnia.

Nanin sentia ódio por ele.

— Você vai morrer com sua hérnia! — gritou.

Os outros o olhavam para ver se estava enlouquecendo.

Enquanto isso, no curral, o boi Morettobello se soltou, derrubou a cancela e saiu para o campo. De repente entrou no cômodo, estacou e lançou um mugido longo, lamentoso, desesperado. Nanin se levantou praguejando e o levou de volta ao curral a pauladas.

Voltou: todos estavam calados, até as crianças. Depois o menino perguntou: — Papai, quando vai comprar para mim a roupa de marinheiro?

Nanin ergueu os olhos para ele, olhos iguais aos do pai, Battistin.

— Nunca! — berrou.

Bateu a porta e foi dormir.

HOMEM NOS ERMOS

De manhã cedo se vê a Córsega: parece um navio carregado de montanhas, suspenso lá longe no horizonte. Em outras terras, seria motivo de lendas; não entre nós: a Córsega é um lugar pobre, mais pobre que o nosso, ninguém nunca foi lá e ninguém nunca pensou em ir. Quando de manhã se vê a Córsega, é sinal de que o ar está claro e firme, de que não há previsão de chuva.

Numa dessas manhãs, ao alvorecer, meu pai e eu subíamos pelo caminho de pedra de Colla Bella, com o cachorro na coleira. Meu pai tinha atado ao peito e às costas cachecóis, capas, jaquetas, coletes, alforjes e cantis, dos quais despontava uma barba branca e caprina; nas pernas tinha um velho par de caneleiras de couro todo riscado. Eu tinha um casaco puído e curto, que deixava meus pulsos e minha cintura descobertos, e calças também puídas e curtas, e caminhava a passos largos como meu pai, mas com as mãos enterradas nos bolsos e o pescoço comprido empoleirado entre os ombros. Nós dois levávamos velhas espingardas de caça, de boa fabricação, mas malconservadas e serrilhadas pela ferrugem. O cachorro era um lebréu, orelhas caídas que varriam a terra, pelo curto e espinhoso sobre os fêmures que desgastavam a pele; arrastava atrás de si uma corrente que seria mais adequada a um urso.

— Você fica aqui com o cachorro — disse meu pai. — Daqui você controla as duas trilhas. Eu vou pela outra. Quando eu chegar assovio, e você solta o cachorro. Fique de olho aberto, que a lebre passa num instante.

Meu pai continuou pelo caminho de pedra, e eu me agachei no chão com o cachorro, que gania por querer seguir com ele. Colla Bella é uma colina de margens pálidas e terrenos incultos, relva dura de pastar e muros derrocados de antigos terraços. Mais embaixo começa a nuvem escura dos olivais, mais no alto, os bosques fulvos e despelados pelos incêndios como dorsos de cães velhos. As coisas preguiçavam no cinza da aurora como num cerrar de pálpebras ainda sonolentas. No mar não se distinguiam confins, atravessado de ponta a ponta por lâminas de neblina.

Ouviu-se o assovio de meu pai. Livre da corrente, o cachorro partiu em zigue-zague pelas pedras, abocanhando o ar de latidos. Depois se calou, começou a farejar o terreno e disparou com fungadas diligentes, de cauda ereta, com uma mancha branca e romboidal que parecia iluminada.

Eu mantinha a espingarda preparada e firme nos joelhos, e o olhar fixo no cruzamento das trilhas, porque a lebre passa num instante. A aurora ia descobrindo as cores, uma a uma. Primeiro o vermelho das bagas, os cortes em faixa no alto dos pinheiros. Depois o verde, os cem, mil verdes dos prados, dos arbustos, do bosque, até então todos iguais: agora, ao contrário, a todo momento havia um novo verde, que nascia e se distinguia dos outros. Depois o azul: o azul gritante do mar, que ensurdeceu tudo e deixou o céu pálido e temeroso. A Córsega desapareceu tragada pela luz, mas a fronteira entre o mar e o céu não se coagulou: permaneceu aquela zona ambígua e perdida, que dá medo de olhar porque não existe.

De repente casas, telhados e ruas brotaram ao pé das colinas, na beira do mar. Toda manhã a cidade nascia assim, do reino das sombras, em um átimo, acobreada de telhas, reluzente de vidros, alva nos rebocos. Toda manhã a luz a descrevia nos detalhes mais miúdos, narrava cada uma das travessas, enumerava todas as casas. Depois subia pelas colinas, descobrindo sempre novos particulares: novos lotes, novas casas. Chegava a

Colla Bella amarela, despojada e deserta, e ali também descobria uma casa, perdida, a casa mais alta antes do bosque, a um tiro de minha espingarda, a casa de Baciccin, o Beato.

Na sombra, a casa de Baciccin parecia um amontoado de pedras; em volta havia uma faixa de terra incrustada e cinza como a da lua, da qual despontavam plantas raquíticas como se ali cultivassem gravetos. Havia uns fios esticados, parece que para estender panos, e no entanto era o vinhedo com plantas tísicas e esqueléticas. Apenas uma figueira mirrada parecia ter força para sustentar as folhas e se contorcia sob seu peso à beira do terreno.

Baciccin saiu: era tão magro que para vê-lo era preciso que ficasse de perfil, se não só se viam os bigodes, que eram grisalhos e esticados no ar. Usava uma balaclava de lã na cabeça e uma roupa de fustão. Ao me ver ali postado, se aproximou.

— Lebres, lebres — disse.

— Lebres, sempre lebres — respondi.

— Semana passada atirei numa grande assim, naquela margem. Como daqui até ali. Errei o alvo.

— Que azar.

— Azar, azar. Não me dou bem com as lebres. Prefiro ficar debaixo de um pinheiro e esperar os tordos. Numa manhã, dou uns cinco ou seis disparos.

— Assim você garante sua refeição, Baciccin Beato.

— Sim. Mas eu erro todos.

— Acontece. São os cartuchos.

— Cartuchos, cartuchos.

— Os que vendem por aí são fajutos. Carregue você mesmo.

— Pois é. Mas eu mesmo carrego. Talvez carregue mal.

— Ah, tem de saber fazer.

— Pois é, pois é.

Entretanto ele se plantara de braços cruzados no meio da encruzilhada, e continuava lá. A lebre nunca passaria se ele ficasse ali no meio. "Agora vou pedir que saia", pensei, mas não disse nada e continuei ali parado, do mesmo jeito.

— E não chove, não chove — dizia Baciccin.

— Viu a Córsega hoje de manhã?
— A Córsega. Está toda seca, a Córsega.
— Um ano ruim, Baciccin Beato.
— Ano ruim. Plantei favas. Brotaram?
— Brotaram?
— Se brotaram? Nada.
— Semente ruim que lhe venderam, Baciccin.
— Semente ruim, colheita ruim. Oito pés de alcachofra.
— Diacho.
— Diga quanto me renderam.
— Pode dizer.
— Todos mortos.
— Diacho.
Costanzina saiu de casa, a filha de Baciccin, o Beato. Podia ter uns dezesseis anos, o rosto em formato de oliva, os olhos, a boca, o nariz em forma de oliva, e as tranças descendo pelos ombros. Até os seios em oliva devia ter, toda de um estilo só, recolhida como uma estatueta, selvagem como uma cabra, as meias de lã nos joelhos.
— Costanzina — chamei.
— Oh!
Mas não se aproximava, tinha medo de assustar as lebres.
— Ainda não latiu, não a desentocou — disse o Beato.
Apuramos os ouvidos.
— Não está latindo, ainda podem esperar — e foi embora.
Costanzina se sentou perto de mim. Baciccin, o Beato, começara a vagar por seu terreno desolado, podando as vinhas ressecadas; de vez em quando parava e voltava a falar.
— O que há de novo em Colla Bella, Tancina? — perguntei.
A garota começou a contar, diligente.
— Ontem à noite eu vi umas lebres saltando lá em cima, sob a lua. Faziam gui!, gui! Ontem brotou um cogumelo atrás do carvalho. Venenoso, vermelho com pontinhos brancos. Eu o esmaguei com uma pedra. Uma cobra grande e amarela desceu

ao meio-dia pela trilha. Mora naquele arbusto. Não jogue pedras nela, é boazinha.
— Gosta de morar em Colla Bella, Tancina?
— De noite, não: às quatro a névoa sobe e a cidade desaparece. Além disso, de noite se escuta o grito da coruja.
— Medo da coruja?
— Não. Medo das bombas, dos aviões.
Baciccin se aproximou.
— E a guerra? Como vai a guerra?
— O bom é que a guerra acabou, Baciccin.
— Bem. Então o que há no lugar da guerra? De resto, não acredito que tenha acabado. Tantas vezes disseram isso, e quantas vezes ela recomeçou de outro jeito. Estou errado?
— Não, está certo.
— Você gosta mais de Colla Bella ou da cidade, Tancina? — perguntei.
— Na cidade tem tiro ao alvo — respondeu —, bonde, um monte de pessoas, cinema, sorvete, a praia com guarda-sóis.
— Esta aqui — disse Baciccin — não tem tanta vontade de ir para a cidade, mas a outra gostava tanto que não voltou mais de lá.
— Onde ela está agora?
— Ah.
— Ah. Se pelo menos chovesse.
— Verdade. Se chovesse. A Córsega, hoje de manhã. Estou errado?
— Está certo.
Ao longe começou uma saraivada de latidos.
— O cachorro desentocou a lebre — falei.
O Beato veio parar na passagem, de braços cruzados.
— Corre. Corre bem — disse. — Eu tinha uma cadela que se chamava Cililla. Era capaz de perseguir uma lebre por três dias. Uma vez ela desentocou uma no alto do bosque e a trouxe para mim, a dois metros da espingarda. Dei dois tiros nela. Falhei.
— Nem todos acertam o alvo.

— Nem todos. Bem, ela continuou perseguindo a lebre por duas horas...

Ouviram-se dois disparos, mas depois os latidos recomeçaram cada vez mais perto.

— ... Depois de duas horas — retomou Baciccin — me trouxe de novo a lebre, como antes. Falhei de novo, desgraça.

De repente uma lebre surgiu feito uma flecha na trilha, passou quase em cima das pernas de Baciccin e então escapuliu pelos arbustos e sumiu. Eu nem tive tempo de mirar.

— Minha nossa! — gritei.
— O que foi? — perguntou o Beato.
— Nada — respondi.
Nem Costanzina tinha visto, voltara para casa.

— Pois bem — retomou o Beato —, não é que aquela cadela continuou perseguindo a lebre e a trazê-la para mim tantas vezes que no final acabei acertando? Que cadela!

— Onde ela está agora?
— Escapou.
— Bem, nem todas dão certo.
Meu pai voltou com o cachorro ofegante. Praguejava.
— Por um fio. Daqui para ali. Um animal assim. Vocês viram?
— Nada — disse o Beato.
Eu pus a espingarda a tiracolo e começamos a descer.

O OLHO DO DONO

— O olho do dono — seu pai lhe disse, apontando para um olho, um velho olho sem cílios entre pálpebras enrugadas, redondo como um olho de pássaro —, o olho do dono é que engorda o cavalo.
— Sim — disse o filho, e continuou sentado à beira da mesa de madeira rústica, à sombra de uma grande figueira.
— Então — disse o pai, sempre mantendo o dedo sob o olho — vá para os terrenos de trigo e veja enquanto fazem a colheita.
O filho estava com as mãos enterradas nos bolsos, um fio de vento agitava as costas da camisa de mangas curtas.
— Vou — disse, e se manteve parado. As galinhas bicavam alguns restos de figo esmagado na terra.
Ao ver o filho entregue à indolência feito um junco ao vento, o velho sentiu sua fúria redobrar a cada momento: arrastava sacos para fora do armazém, misturava fertilizantes, distribuía ordens e imprecações aos homens de cabeça baixa, ameaçava o cachorro acorrentado que gania sob uma nuvem de moscas. O filho do dono não se mexia nem desenterrava as mãos dos bolsos, mantinha o olhar fixado no chão e os lábios numa expressão de assovio, como desaprovando tanto desperdício de forças.
— O olho do dono — repetiu o velho.
— Estou indo — respondeu o filho e, sem pressa, foi.

O OLHO DO DONO

Caminhava pela trilha do vinhedo, as mãos no bolso, sem erguer muito a sola do sapato. O pai o observou por um tempo, plantado de pernas largas sob a figueira, os grandes punhos enlaçados atrás das costas; esteve a ponto de gritar algo na direção dele, mas se calou e recomeçou a misturar punhados de adubo.

O filho andava e revia as cores do vale, escutava mais uma vez o zumbido das vespas no pomar. Sempre que voltava ao seu povoado, depois de meses definhando em cidades distantes, redescobria o ar e o alto silêncio de sua terra como um chamado esquecido da infância e ao mesmo tempo um remorso. Toda vez que vinha à sua terra ficava como à espera de um milagre: vou voltar e desta vez tudo terá um sentido, o verde que degrada em linhas pelo vale de minha propriedade, os gestos sempre iguais dos homens no trabalho, o crescimento de cada árvore, de cada galho; a raiva desta terra também vai me prender, como prendeu meu pai, até que eu não possa mais sair daqui.

Em certas faixas sobre a encosta pedregosa o trigo crescia a custo, formando um retângulo amarelo em meio ao acinzentado das terras incultas, com dois ciprestes negros, um em cima e outro embaixo, que pareciam sentinelas. Na plantação de trigo havia homens e uma movimentação de foices; aos poucos o amarelo desaparecia como se tivesse sido apagado, e por baixo despontava o cinza. O filho do dono subia com um fio de mato entre os dentes pelos atalhos sobre a encosta nua; das faixas de trigo, os homens certamente já o tinham avistado subir e comentavam a sua chegada. Sabia o que pensavam a respeito dele: o velho é maluco, mas o filho é um imbecil.

— Boas — disse U Pé enquanto ele chegava.
— Boas — disse o filho do dono.
— Boas — disseram os outros.
E o filho do dono respondeu: — Boas.
Aí está: tudo o que havia a dizer entre eles fora dito. O filho do dono se sentou na orla de uma faixa, as mãos no bolso.
— Boas — disse ainda uma voz da faixa mais acima: era Franceschina, que debulhava. Ele disse mais uma vez: — Boas.

Os homens ceifavam em silêncio. U Pé era um velho de pele amarelada, que lhe caía rugosa sobre os ossos; U Ché era de meia-idade, peludo e atarracado; Nanin era jovem, um ruivo magricela: a camisa suada grudava nele, e uma vértebra das costas nuas aparecia e sumia a cada golpe de foice. A velha Girumina debulhava acocorada no chão como uma grande galinha preta. Franceschina estava na faixa mais alta e cantava uma canção do rádio. Cada vez que se inclinava, suas pernas ficavam descobertas até atrás dos joelhos.

O filho do dono sentia vergonha de estar ali montando guarda, empertigado como um cipreste, ocioso em meio aos que trabalhavam. "Agora", pensava, "peço que me deem uma foice e experimento um pouco." Mas permanecia em silêncio e parado, observando o terreno repleto de talos amarelos e duros das espigas cortadas. De todo modo, não seria capaz de manejar a foice e faria um papelão. Debulhar: isso ele era capaz de fazer, um trabalho de mulheres. Inclinou-se, recolheu duas espigas, as colocou no avental negro da velha Girumina.

— Cuidado para não pisar onde ainda não catei — disse a velha.

O filho do dono tornou a se sentar na orla, mastigando um fiapo de palha.

— Este ano deu mais que no ano passado? — perguntou.

— Menos — disse U Ché —, a cada ano menos.

— Foi por causa — disse U Pé — da geada de fevereiro. Lembra que geada em fevereiro?

— Sim — disse o filho do dono. Mas não se lembrava.

— Foi — disse a velha Girumina — aquela chuva de granizo em março. Lembra o mês de março?

— Caiu granizo — disse o filho do dono, sempre mentindo.

— Para mim — disse Nanin — foi aquela estiagem em abril. Lembra que estiagem?

— Abril inteiro — disse o filho do dono. Não se lembrava de nada.

Agora os homens tinham começado uma discussão sobre chuva, geada e estiagem: o filho do dono estava alheio a tudo isso, apartado das rotinas da terra. O olho do dono. Ele era apenas um olho. Mas para que serve um olho, somente um olho, apartado de tudo? Nem sequer enxerga. Claro, se seu pai estivesse ali, teria soterrado os homens de blasfêmias, teria achado o trabalho malfeito, lento, a colheita arruinada. Sentia-se quase a necessidade dos gritos de seu pai naquelas faixas de terra, como quando vemos alguém atirar e sentimos a necessidade do estouro nos tímpanos. Ele nunca gritaria com os homens, e os homens sabiam disso, por isso continuavam trabalhando preguiçosamente. Mas com certeza preferiam seu pai a ele, o pai que os fazia labutar, o pai que os fazia plantar e colher trigo naquelas encostas íngremes de cabras, seu pai era um deles. Ele não, ele era um estranho que comia do seu trabalho, sabia que o desprezavam, talvez até o odiassem.

Agora os homens tinham retomado uma conversa iniciada antes de ele chegar, sobre uma mulher dali do vale.

— É o que diziam — fez a velha Girumina —, com o pároco.
— Sim, sim — disse U Pé. — O pároco tinha dito a ela: se vier, lhe dou duas liras.
— Duas liras? — indagou Nanin.
— Duas liras — confirmou U Pé.
— Na época — disse U Ché.
— Quanto aquelas duas liras valeriam hoje? — quis saber Nanin.
— Uma nota — disse U Ché.
— Diacho — disse Nanin.

Todos riam com a história daquela mulher; até o filho do patrão sorriu, mas não entendia bem o sentido daquelas histórias de amor de mulheres ossudas, bigodudas e vestidas de preto.

Franceschina também ficaria assim. Agora debulhava na faixa mais alta, cantando uma canção do rádio, e toda vez que se inclinava a saia subia um pouco, revelando a pele branca atrás dos joelhos.

— Franceschina — gritou Nanin —, você iria com um padre por duas liras?

Franceschina estava de pé na faixa de terra, com o feixe de espigas recolhido no peito.
— Duas mil? — gritou.
— Diacho, ela falou duas mil — disse Nanin para os outros, perplexo.
— Eu não vou nem com padres, nem com *burgueses* — gritou Franceschina.
— E vai com os militares? — gritou U Ché.
— Nem com militares — respondeu ela, e voltou a recolher espigas.
— Você tem belas pernas, Franceschina — disse Nanin, olhando para elas.
Os outros também olharam e concordaram.
— Bem-feitas — disseram. O filho do dono as olhou como se não as tivesse visto antes, e fez um sinal de concordância. No entanto, sabia que não eram pernas bonitas, eram duras, musculosas e peludas.
— Quando você vai para o serviço militar, Nanin? — perguntou Girumina.
— Diacho, depende se vão examinar de novo os reservistas — fez Nanin. — Se a guerra não terminar, vão me convocar também, mesmo com a insuficiência pulmonar.
— É verdade que a América também entrou em guerra? — perguntou U Ché ao filho do dono.
— A América — disse o filho do dono. Talvez agora ele pudesse dizer alguma coisa. — A América e o Japão — disse, e depois se calou. O que mais podia dizer?
— Quem é mais forte, a América ou o Japão?
— Os dois são fortes — disse o filho do dono.
— E a Inglaterra é forte?
— Eh, ela também é forte.
— E a Rússia?
— A Rússia também é forte.
— A Alemanha?
— A Alemanha também.
— E nós?

— Vai ser uma guerra longa — disse o filho do dono. — Uma longa guerra.

— No tempo da outra guerra — disse U Pé —, no bosque tinha uma caverna onde estavam dez desertores — e apontou para o alto, em direção aos pinheiros.

— Se continuar mais um pouco — disse Nanin —, garanto que a gente também vai parar nas cavernas.

— Ora — disse U Ché —, quem sabe como isso vai acabar.

— Todas as guerras — disse U Pé — sempre acabam assim: e quem aproveitou, aproveitou.

— E quem aproveitou, aproveitou — repetiram os outros.

O filho do dono começou a subir pelas faixas em direção a Franceschina, mordendo o talo de palha. Olhava sua pele branca atrás dos joelhos, quando se abaixava para recolher as espigas. Talvez com ela fosse mais fácil; tinha a intenção de cortejá-la.

— Costuma ir à cidade, Franceschina? — perguntou. Era um modo idiota de puxar conversa.

— Às vezes desço para lá no domingo à tarde. Se tem feira, vamos à feira; se não, ao cinema.

Tinha parado de trabalhar. Não era isso o que ele queria: se seu pai o visse! Em vez de vigiar, incentivava as mulheres a conversar durante o trabalho.

— Você gosta de ir à cidade?

— Gosto, sim. Mas no fundo, quando a gente volta de noite, o que é que fica? Na segunda começa tudo de novo, e quem aproveitou, aproveitou.

— Eh — fez ele, mordendo a palha. Agora era preciso deixá-la em paz, se não, não retomaria o trabalho. Virou-se e desceu.

Nas faixas de baixo os homens tinham quase terminado, e Nanin amarrava as cargas nas telas-redes para descer com elas nos ombros. O mar altíssimo diante das colinas começava a se tingir de lilás nas bandas do pôr do sol. O filho do dono olhava suas terras de pedras e gavelas e compreendia que, ali, sempre continuaria sendo desesperadamente um estrangeiro.

FILHOS PREGUIÇOSOS

Ao amanhecer, eu e meu irmão ainda dormíamos com os rostos afundados nos travesseiros, e já se ouviam os passos pesados de nosso pai circulando pelos cômodos. Quando nosso pai se levantava fazia muito barulho, talvez de propósito, e se metia a subir e a descer as escadas com suas botinas umas vinte vezes, inutilmente. Talvez toda a vida seja isso, um desperdício de forças, um grande trabalho inútil, e talvez ele o fizesse para protestar contra nós dois, de tanta raiva que lhe damos.

Minha mãe não fazia barulho, mas também já estava de pé na grande cozinha acendendo o fogo, descascando com as mãos cada vez mais cortadas e escuras, limpando vidros e móveis, remexendo em panos. Isso também é um protesto contra nós, de cuidar da casa sempre calada e tocar adiante sem criadas.

— Vendam a casa, e vamos comer o dinheiro — digo eu, dando de ombros quando me pressionam dizendo que não é possível seguir assim, mas minha mãe continua a se esfalfar calada, manhã e noite, e nem se sabe quando dorme; enquanto isso as trincas vão se estendendo pelos tetos, e filas de formigas andam pelas paredes, e mato e espinheiros sobem pelo jardim inculto. Talvez daqui a pouco não reste de nossa casa senão uma ruína coberta de trepadeiras. Mas de manhã minha mãe não vem nos tirar da cama, porque sabe que no fim das contas é inútil, e aquele seu agitar-se calada pela casa que desmorona sobre ela é seu modo de nos perseguir.

Já meu pai às seis da manhã escancara nossa porta vestindo jaqueta de caçador e perneiras, gritando: — Eu vou bater em vocês! Mandriões! Nesta casa todo mundo trabalha, menos vocês! Pietro, levante-se se não quiser que eu esgane você. E acorde esse marginal do seu irmão Andrea!

Nós já o tínhamos ouvido se aproximar durante o sono e continuamos com os rostos enterrados nos travesseiros, sem nem sequer nos virar para ele. Se ele continua o sermão, protestamos de vez em quando com grunhidos. Mas logo ele se retira: sabe que tudo é inútil, que seus atos são uma comédia, uma cerimônia ritual para não se declarar vencido.

Nós nos reviramos no sono: na maioria das vezes, meu irmão nem sequer acordava, a tal ponto se habituara a isso, e não dava a mínima. Um egoísta e insensível, meu irmão: às vezes me dá raiva. Eu faço que nem ele, mas pelo menos entendo que não deveria ser desse jeito, e sou o primeiro a me incomodar com a situação. E mesmo assim continuo, mas com raiva.

— Cachorro — digo a meu irmão Andrea —, cachorro, você está matando seu pai e sua mãe. — Ele não responde: sabe que sou um hipócrita e um bufão, que não existe um desocupado maior que eu.

Dali a dez minutos, vinte, meu pai está de novo à porta, angustiado. Agora recorre a outro sistema, lança propostas quase com indiferença, bonachonas: uma comédia de dar dó. Diz: — Então quem é que vem comigo a San Cosimo? É preciso amarrar as videiras.

San Cosimo é nossa propriedade rural. Tudo ali seca, e não há braços nem dinheiro que a façam prosperar.

— É preciso arrancar as batatas. Você vem, Andrea? Ei, você vem? Estou falando com você, Andrea. É preciso regar os pés de feijão. E aí, você vem?

Andrea levanta a boca do travesseiro, diz: — Não — e volta a dormir.

— Por quê? — meu pai prossegue a comédia. — Pietro tinha decidido. Você vem, Pietro?

Então ele tem um novo ataque e mais uma vez se acalma e fala das coisas que precisam ser feitas em San Cosimo, como se estivesse acertado que iríamos. Cachorro, penso sobre meu irmão, cachorro, poderia se levantar e lhe dar uma satisfação pelo menos uma vez, pobre velho. Mas não sinto em mim nenhum impulso para me levantar e me esforço para recuperar o sono que já foi embora.

— Bem, andem depressa porque estou esperando — diz nosso pai, se retirando como se já tivéssemos concordado. Podemos ouvi-lo caminhando e gritando abafado, preparando os adubos, o sulfato, as sementes para levar lá em cima; todo dia ele vai e volta carregado como uma mula.

Já achamos que ele se foi, mas eis que berra de novo do fundo das escadas: — Pietro! Andrea! Santo Cristo, ainda não estão prontos?

É seu último ataque: depois escutamos os passos de suas botinas atrás de casa, a batida da cancela, e ele se afastar escarrando e gemendo pela estradinha.

Agora é possível voltar a um sono ininterrupto, mas não consigo adormecer de novo e penso em meu pai que sobe carregado pela trilha e escarra, e depois briga com os meeiros que lhe roubam e deixam tudo ir de mal a pior. E examina as plantas e os campos, os insetos que roem e escavam por toda parte, o amarelo das folhas, a erva daninha que cresce, todo o trabalho de uma vida se arruinando como os muros de contenção dos terrenos que desmoronam a cada chuva, e blasfema contra os filhos.

Cachorro, digo pensando em meu irmão, cachorro. Apurando os ouvidos, me chega do andar de baixo uma batepão, cabos de vassoura caindo no piso. Minha mãe está sozinha naquela cozinha enorme, o dia começa a clarear os vidros das janelas, e ela labuta por pessoas que lhe dão as costas. Penso assim, e durmo.

Não são ainda nem dez horas quando nossa mãe grita das

escadas: — Pietro! Andrea! Já são dez da manhã! — A voz é muito raivosa, como se estivesse furiosa por alguma coisa excepcional, mas é assim todas as manhãs. — Siiim... — gritamos de volta. E ficamos na cama ainda uma meia hora, já acordados, para nos habituarmos à ideia de nos levantar.

Então eu começo a falar: — Vamos, acorde, Andrea, está na hora de levantar. De pé, Andrea, comece a levantar. — Andrea emite grunhidos.

Por fim estamos de pé, com muitos resmungos e espreguiçamentos. Andrea circula de pijama com movimentos de velho, a cabeça toda desgrenhada e os olhos meio cegos, e já se põe a lamber o papel do cigarro e a fumar. Fuma na janela, e só então começa a se lavar e se barbear.

Nesse meio-tempo, ele começa a balbuciar e, pouco a pouco, do balbucio se forma um canto. Meu irmão tem voz de barítono, mas em companhia é sempre o mais triste e nunca canta. Entretanto, sozinho, enquanto se barbeia ou toma banho, entoa uma de suas melodias cadenciadas com a voz cavernosa. Não sabe canções, mas sempre ataca com um poema de Carducci aprendido na infância: — *No castelo de Verona — bate o sol ao meio-dia...*

Estou ali perto, me vestindo, e faço coro sem alegria, com uma espécie de violência: — *Murmurando pelo ensolarado — verde o grande Ádige vai...*

Meu irmão continua cantarolando sem pular nenhuma estrofe, até o fim, lavando o rosto e escovando os sapatos. — *Negro como um velho corvo — e nos olhos tinha carvões...*

Quanto mais ele canta, mais eu me encho de raiva e mais canto enfurecido: — Má sorte é esta minha — má fera me tocou...

É o único momento em que nos juntamos ruidosos. Depois ficamos calados durante quase todo o dia.

Descemos e esquentamos o leite, no qual mergulhamos o pão, e comemos com grande barulho. Minha mãe está à nossa volta e fica se lamentando, mas sem insistência, sobre todas as coisas a fazer, sobre as tarefas necessárias. — Sim, sim — respondemos, e imediatamente nos distraímos.

Não costumo sair de manhã, fico perambulando pelos corredores com as mãos no bolso, ou então reorganizo a biblioteca. Há tempos não compro mais livros: custam muito caro, e eu deixei passar muitas coisas que me interessavam e que, se tentasse ir atrás delas, iria querer ler tudo e não tenho vontade. Mas continuo organizando os poucos livros que tenho nas prateleiras: italianos, franceses, ingleses; ou por assunto: história, filosofia, romances; ou todos com uma mesma encadernação, as edições bonitas, e os em mau estado de lado.

Já meu irmão vai ao café Imperia para acompanhar as partidas de bilhar. Não joga porque não sabe: fica horas e horas vendo os jogadores, seguindo os efeitos da bola, as jogadas, fumando, sem entusiasmo e sem apostar, porque não tem dinheiro. Às vezes o colocam para marcar os pontos, mas frequentemente se distrai e erra. Faz algum comércio miúdo, o suficiente para comprar cigarros; há seis meses se inscreveu para um posto na companhia de água que lhe daria com que se sustentar, mas não move uma palha para consegui-lo, já que por ora a comida não lhe falta.

Meu irmão chega tarde para o almoço, e nós dois comemos calados. Nossos pais sempre discutem sobre despesas, entradas e débitos, sobre como levar adiante com dois filhos que não trabalham, e o pai diz: — Vejam o amigo de vocês, Costanzo, vejam o Augusto. — Porque nossos amigos não são como nós: abriram uma sociedade para compra e venda de madeira dos bosques e estão sempre circulando, negociando, fechando contratos, até com nosso pai, ganhando rios de dinheiro, e já, já terão seu caminhão. São uns trambiqueiros, e o nosso pai sabe disso; mas ele preferiria que fôssemos como eles a sermos o que somos: — Seu amigo Costanzo ganhou muito com aquela transação — diz —, vejam se conseguem se meter nisso também. — Mas, com a gente, nossos amigos só querem saber de se divertir, não nos propõem negócios: sabem que somos vadios e imprestáveis.

De tarde, meu irmão volta a dormir: não se sabe como consegue dormir tanto, mas ele dorme. Eu vou ao cinema, vou todos os dias, mesmo quando passam filmes que já vi: assim faço menos esforço para acompanhar a história.

Depois do jantar, leio deitado no sofá longos romances traduzidos que me emprestam: muitas vezes perco o fio da meada enquanto leio e nunca consigo retomá-lo. Meu irmão se retira da mesa assim que come e vai embora: vai assistir às partidas de bilhar.

Meus pais vão logo dormir, porque de manhã se levantam cedo. — Vá para o seu quarto, que aqui está gastando luz — me dizem ao subir. — Estou indo — respondo, e continuo lá.

Já estou na cama, dormindo há algum tempo, quando meu irmão volta, lá pelas duas. Acende a luz, circula pelo quarto, fuma o último cigarro. Conta coisas da cidade, dando opiniões simpáticas sobre as pessoas. É a hora em que realmente está desperto e fala à vontade. Abre a janela para deixar a fumaça sair; olhamos a colina com a estrada iluminada e o céu escuro e límpido. Eu me sento na cama e conversamos longamente sobre coisas desimportantes, de alma leve, até o sono voltar.

ALMOÇO COM UM PASTOR

Foi um erro de nosso pai, um de seus tantos. Tinha trazido aquele rapaz de um vilarejo de montanha para que cuidasse de nossas cabras. E, no dia em que chegou, quis convidá-lo para comer na mesa conosco.

Nosso pai não compreende as diferenças que existem entre as pessoas, a diferença entre uma sala de jantar como a nossa, com móveis entalhados, tapetes de desenhos escuros, faianças, e as casas de pedra deles, cheias de fuligem, com o piso de terra batida e guirlandas de jornal preto de moscas sobre as lareiras. Nosso pai transita por toda parte com aquela sua festividade sem cerimônias, de quem não quer que lhe troquem o prato de comida, e quando sai para caçar todos o convidam, e de noite o procuram para que ele os ajude em seus litígios. Nós não; nós, os filhos. Talvez meu irmão, com seu ar de cumplicidade taciturna, possa ainda extrair alguma confidência grosseira; mas eu sei como é difícil a conversa entre seres humanos, e a cada momento sinto as diferenças de classe e de cultura se abrirem sob mim como abismos.

Ele entra; eu leio um jornal. E meu pai a lhe fazer grandes discursos — de que adianta? —, que deixam o rapaz cada vez mais confuso. Mas não. Levantei os olhos, e ele estava no meio da sala com as mãos pesadas, o queixo no peito, mas com o olhar fixo diante de si, obstinado. Era um pastor mais ou menos da minha idade, de cabelos compactos e lanosos, com traços arqueados: testa, órbitas, mandíbulas. Vestia uma camisa escura de soldado, abotoada à força sobre o pomo de adão do colarinho, e uma roupa troncha, da qual pareciam transbordar as grandes mãos nodosas e as botinas grossas e lentas sobre o assoalho reluzente.

— Este é meu filho Quinto — disse meu pai —, está no secundário.

Levantei-me, arrisquei uma expressão sorridente, estendi-lhe a mão e logo nos afastamos, sem nos olharmos no rosto. Meu pai já tinha desandado a falar de mim, coisas que não interessavam a ninguém: de quanto me faltava para terminar os estudos, de uma ratazana que eu matara uma vez que estava caçando nas terras daquele jovem; e eu dava de ombros falando: — Eu? Que nada! — toda vez que me parecia que ele estava exagerando. O pastor permanecia mudo e quedo, não dava nem para saber se estava escutando: de vez em quando olhava rapidamente para uma parede, uma cortina, como um bicho buscando uma fresta na gaiola.

Já meu pai tinha mudado de assunto e agora circulava pelo cômodo falando sobre certas variedades de hortaliças que cultivavam naqueles vales, fazendo perguntas ao rapaz, e este, com o queixo no peito e a boca semicerrada, continuava a responder que não sabia. Escondido atrás do jornal, eu esperava que o almoço fosse servido. Mas meu pai já fizera o convidado se sentar e fora à cozinha com um pepino, cortando-o em fatias finas no prato de sopa para que o comesse, dizia, como antepasto.

Minha mãe entrou, alta e vestida de preto, com babados de renda e o risco impassível entre os cabelos brancos e lisos. — Ah, aqui está nosso pastorzinho — disse. — Fez boa viagem? — O rapaz não se levantou nem respondeu, ergueu o olhar para minha mãe, um olhar cheio de desconfiança e incompreensão. Eu estava inteiramente do lado dele: desaprovava aquele tom de superioridade afetuosa de minha mãe, aquela intimidade patronal que lhe dispensava; se ao menos tivesse falado em dialeto como papai! Mas falava em italiano, um italiano frio como uma parede de mármore diante do pobre pastor.

Eu queria desviar a conversa dele, protegê-lo. Então li uma notícia do jornal, uma notícia que só poderia interessar a meus pais, sobre uma jazida de minério descoberta numa região africana onde moravam certos conhecidos nossos. Escolhi de propósito uma notícia que não pudesse envolver minimamente nosso convidado, repleta de nomes que ele desconhecia; e isso não para acentuar ainda mais seu isolamento, mas para escavar um fosso em torno dele e deixá-lo respirar, e por um momento livrá-lo das atenções invasivas de meus pais. Talvez meu gesto tenha sido mal interpretado, inclusive por ele, e acabou surtindo um efeito oposto. Porque meu pai passou a desencavar uma história africana dele, confundindo o rapaz com uma revoada de nomes estranhos de lugares, povos e animais.

Já estavam para servir a minestra quando minha avó apareceu numa cadeira de rodas, empurrada por minha pobre irmã Cristina. Precisaram gritar alto nos ouvidos de vovó para que ela entendesse do que se tratava. Aliás, minha mãe começou com as apresentações: — Este é Giovannino, que vai cuidar de nossas cabras. Minha mãe. Minha filha, Cristina.

Fiquei vermelho de vergonha por ele ao ouvir que o chamavam de Giovannino; quem sabe como aquele nome soava diferente no dialeto rude e fechado da montanha: com certeza era a primeira vez que ele ouvia ser chamado daquele jeito.

Minha avó assentiu com sua tranquilidade patriarcal: — Muito bem, Giovannino, esperamos que você não deixe nossas cabras fugirem, hein! — Minha irmã, Cristina, que nas raras visitas que recebemos vê pessoas de extremo respeito, saiu meio escondida de trás da cadeira de rodas e se adiantou toda amedrontada, murmurando: — Encantada — e estendeu a mão ao jovem, que a tocou pesadamente.

O pastor estava sentado na borda da cadeira, mas se apoiava com as costas no espaldar e tinha as mãos abertas sobre a toalha, olhando minha avó como fascinado. Aquela velhinha encolhida na grande poltrona, com meias-luvas que descobriam os dedos exangues gesticulando vagamente no ar, e aquele rosto minúsculo sob uma avalanche de rugas, os óculos apontados para ele tentando decifrar alguma forma no amontoado de sombras e cores que os olhos lhe transmitiam, e aquele expressar-se em italiano como se estivesse lendo um livro, tudo devia parecer novo a ele, diferente das imagens de velhice que ele conhecera até então.

Minha pobre irmã, Cristina, que por seu turno não se mostrava menos perdida, como toda vez que via rostos novos, avançou no meio da sala com as mãos sempre postas sob o xale que lhe modelava os ombros disformes e, erguendo para os vidros da janela os olhos claros e assustados, a cabeça estriada por mechas grisalhas precoces, o rosto emaciado pelo tédio de seus dias reclusos, falou: — Tinha um barquinho no mar, eu vi. E dois marinheiros que vogavam, vogavam. E depois ele passou por trás do telhado de uma casa e ninguém mais o viu.

Agora eu queria que o convidado se desse conta de imediato do triste caso de nossa irmã, de modo que não se importasse mais com isso e não fizesse conjecturas. Por isso me levantei com uma animosidade forçada e totalmente fora de lugar: — Mas como você pode ter visto homens num barco daqui de nossas janelas? Estamos longe demais.

Minha irmã continuava olhando através das vidraças: não o mar, mas o céu. — Dois homens num barco. E vogavam, vogavam. E a bandeira estava lá, a bandeira tricolor.

Então percebi que, ao escutar minha irmã, o pastor não demonstrava aquele incômodo alheado que parecia experimentar com a presença de todos os outros. Talvez tivesse enfim encontrado algo que se encaixasse em seus esquemas, um ponto de contato entre nosso mundo e o dele. E me lembrei dos dementes que com frequência se encontram entre as casinhas de montanha e passam as horas sentados nas soleiras, entre nuvens de moscas, e com devaneios lamuriosos entristecem as noites do interior. Talvez essa desventura de nossa família, que ele compreendia por ser bem conhecida entre sua gente, o aproximasse mais de nós que a bizarra camaradagem de meu pai, o ar maternal e protetor das mulheres ou meu desastrado distanciamento.

Meu irmão chegou atrasado como sempre, quando todos já seguravam as colheres. Ele entra e compreende tudo num relance, antes que meu pai lhe explicasse a história e o apresentasse:
— Meu filho Marco, que estuda notariado — e já se senta e come, sem piscar o olho, sem olhar para ninguém, com os óculos frios que parecem pretos de tão impenetráveis, e a lúgubre barbicha lisa e rígida. Era de esperar que ele cumprimentasse todo mundo e se desculpasse pelo atraso, mas não abriu a boca nem encrespou uma ruga da testa implacável. Agora sei que o pastor tem ao lado de si um poderoso aliado, que o protegerá com um mutismo de pedra e lhe abrirá uma via de escape naquela pesada atmosfera de incômodo que somente ele, Marco, sabe criar.

O pastor comia ruidosamente, curvado sobre o prato de sopa. Nisso nós três, homens, estávamos com ele, deixando às mulheres a ostentada etiqueta: o pai, por sua natural expansividade ruidosa; meu irmão, pela determinação imperiosa; eu, pelo mau jeito mesmo. Eu estava satisfeito com essa nova aliança, essa rebelião de nós quatro contra as mulheres: porque isso fazia que o pastor não estivesse mais sozinho. É claro que, naquele momento, as mulheres nos desaprovaram, e só não o diziam para não nos humilhar reciprocamente os da casa perante o convidado e vice-versa. Mas o pastor percebia isso? Certamente não.

Minha mãe passou ao ataque, suavíssima: — E quantos anos você tem, Giovannino?

O rapaz disse a idade, que ressoou como um grito. Repetiu devagar. — Como? — perguntou vovó, que a repetiu errada. — Não, não é isso — e todos a gritar nos ouvidos dela. Somente meu irmão calado. — Um ano a mais que Quinto — descobriu minha mãe, que explicou de novo à minha avó. Eu sofria com essas comparações entre mim e ele, ele, que precisava cuidar de cabras alheias para viver e feder a bode e tinha força para abater carvalhos, ao passo que eu vivia deitado em espreguiçadeiras, ao lado do rádio, lendo libretos de ópera e logo iria para a faculdade, e não queria o contato de minha pele com a flanela porque me pinicava as costas. As coisas que faltaram a mim para ser ele, e as que faltaram a ele para ser eu, eu as sentia então como uma injustiça, que fazia de mim e dele dois seres incompletos, que se escondiam, desconfiados e constrangidos, atrás daquela sopeira de minestra.

Foi então que vovó perguntou: — E me diga, você já se alistou como soldado? — Era uma pergunta descabida, seus contemporâneos ainda não tinham sido convocados, ele acabara de fazer o primeiro exame.

— Soldado do papa — disse papai, numa de suas tiradas de que ninguém achava graça.

— Me mandaram me reapresentar — disse o pastor.

— Oh — disse vovó —, foi dispensado? — e sua voz expressava desaprovação e lamento. E ainda que fosse, pensei, por que ela se importa tanto?

— Não, vou me reapresentar.

— Como assim? — Foi preciso explicar a ela.

— Soldado do papa, ha! ha!, soldado do papa — se divertia papai.

— Ah, tomara que você não esteja doente — disse minha avó.

— Estava doente no dia do exame — disse o pastor, e por sorte vovó não escutou.

Então meu irmão levantou a cabeça do prato e, pelo vidro de seus óculos, lançou algo como uma mirada direta sobre o convidado, uma mirada intensa, e a barbicha se esticou nos cantos dos lábios, talvez num aceno de sorriso, como se dissesse: "Não se importe com os outros, eu te entendo e sei bem dessas coisas". Era com esses inesperados sinais de cumplicidade que Marco conquistava simpatias: de agora em diante, toda vez que respondesse a uma pergunta, o pastor sempre se dirigiria a ele com alguns "né?", voltado para ele. Entretanto eu descobria que, nas raízes da recatada intimidade humana de meu irmão, Marco, havia tanto a ânsia de nosso pai em obter o consenso alheio quanto a superioridade aristocrática de nossa mãe. E pensava que, aliando-se a ele, o pastor não estaria menos sozinho.

A essa altura tive a impressão de que eu também poderia dizer algo que talvez lhe interessasse: expliquei que eu tinha conseguido a dispensa até o final de meus estudos. Mas era a terrível diferença entre nós dois que eu trazia à baila; a impossibilidade de uma comunhão, mesmo nessas coisas que pareciam uma fatalidade para todos, como o serviço militar.

Minha irmã se saiu com uma das suas: — E, perdão, o senhor servirá na cavalaria?

O que teria passado despercebido, caso minha avó não tivesse prosseguido o assunto: — Eh, a cavalaria nos tempos de hoje...

O pastor murmurou algo como: — Os alpinos...

Eu e meu irmão percebemos que, naquele momento, também contávamos com mamãe como nossa aliada, pois ela certamente estava achando aquela conversa uma tolice. Mas então por que não intervinha e mudava de assunto? Por sorte papai parou de repetir "ha! ha!, soldado do papa..." e perguntou se os cogumelos estavam crescendo nos bosques.

Assim prosseguimos durante todo o almoço nessa guerra: nós três, jovens, contra um mundo cruel e afável, sem sermos capazes de nos reconhecer como aliados, cheios de desconfianças recíprocas, até entre nós. Meu irmão concluiu com um grande gesto, depois de comer a fruta de sobremesa: sacou um maço e ofereceu um cigarro ao convidado. Ambos os acenderam sem pedir permissão a ninguém, e esse foi o momento de mais plena solidariedade que se criou naquele almoço. Eu estava excluído, porque meus pais não me deixavam fumar enquanto estivesse no secundário. Agora meu irmão estava satisfeito: se levantou, deu duas baforadas nos olhando do alto e, calado como viera, se virou e foi embora.

Meu pai acendeu o cachimbo e o rádio para ouvir as notícias. O pastor ficou olhando o aparelho com as mãos abertas sobre os joelhos, e os olhos arregalados se avermelhavam de lágrimas. Certamente naqueles olhos ainda apareciam o vilarejo alto sobre os campos, o arco das montanhas e o vigoroso bosque de castanheiros. Meu pai não nos deixava escutar, falava mal da Liga das Nações, e eu aproveitei para sair da sala. A lembrança do jovem pastor nos acompanhou durante toda a noite. Jantamos em silêncio sob as luzes suaves da luminária e não conseguimos deixar de pensar nele agora, sozinho na cabana de nosso campo. Agora com certeza terminara a minestra que esquentara na marmita e estava estendido sobre a palha, quase no escuro, enquanto lá embaixo se ouviam as cabras se mexendo, se chocando e ruminando o capim com os dentes. O pastor saía, uma neblina pairava na direção do mar, em meio ao ar úmido. Uma fontezinha rumorejava discreta no silêncio. O pastor se aproximava dela pelas sendas cobertas de hera selvagem e bebia sem sede. Vaga-lumes surgiam e sumiam e pareciam um grande enxame compacto. Mas ele movia o braço no ar sem tocá-los.

OS IRMÃOS BAGNASCO

Fico fora de casa por meses e meses, às vezes por anos. Retorno de tanto em tanto, e minha casa está sempre no alto da colina, avermelhada no velho reboco que se deixa entrever de longe entre os olivais densos como fumaça. É uma casa antiga, com arcos abobadados que parecem pontes, encimada por símbolos maçônicos que meus velhos puseram ali para afugentar os padres. Na casa está meu irmão, que também vive viajando pelo mundo, mas retorna para lá com mais frequência do que eu; e sempre o reencontro quando volto. Ele chega e logo se põe a procurar até achar seu casaco de caçador, o colete de fustão, as calças com fundilhos de couro, e escolhe o cachimbo com a melhor tragada e fuma.

— Oh — me diz quando chego, e quem sabe faz anos que não nos vemos e ele não esperava minha volta. — Oi — respondo eu, e isso não porque haja alguma antipatia entre nós, pois se nos encontrássemos em outra cidade faríamos grandes festejos, quem sabe com tapinhas nas costas — Olha só, olha só! —, nos diríamos, mas porque em nossa casa é diferente, em nossa casa sempre se fez assim.

Então entramos em casa, ambos com as mãos no bolso, calados, meio constrangidos, e de repente meu irmão começa a falar como se tivéssemos interrompido uma conversa agora há pouco.

— Ontem à noite — diz ele — o filho de Giacinta queria fazer um estrago.
— Você devia ter dado um tiro nele — respondo, mesmo sem saber de que se trata. No entanto, teríamos preferido nos perguntar de onde viemos, em que trabalhamos, se ganhamos bem, se nos casamos, se tivemos filhos, mas podemos fazê-lo depois, agora seria ir contra os costumes.
— Você sabe que sexta à noite é nosso turno para a água do Pozzo Lungo — diz.
— Sexta à noite, sim — concordo, ainda que não me lembre disso e talvez nunca tenha sabido.
— Acredita que toda sexta à noite temos água em nosso terreno? — diz. — Se não ficamos de olho, desviam tudo para o deles. Ontem de noite passei por ali por volta das onze e vejo um correndo com uma enxada: o fluxo tinha sido desviado para o de Giacinta.
— Devia ter dado um tiro nele! — digo, já cheio de raiva: há meses e meses me esquecera dessa questão da água do Pozzo Lungo, daqui a uma semana vou embora de novo e tornarei a me esquecer, mas agora estou carregado de raiva pela água que nos roubaram nos meses passados e que nos roubarão nos próximos meses.

Enquanto isso, perambulo por escadas e cômodos com meu irmão atrás de mim, fumando o cachimbo, por escadas e cômodos com espingardas antigas e novas penduradas e frascos de pólvora e chifres de caça e cabeças de cabrito montês. As escadas e os cômodos cheiram a ambiente fechado e a cupim, com símbolos maçônicos nas paredes em vez de crucifixos. Meu irmão enumera tudo o que os meeiros roubam, fala das colheitas escassas, das cabras alheias que pastam em nossos campos, de nosso bosque aonde todo o vale vai buscar lenha. E vou tirando dos armários casacos, perneiras, coletes com bolsos bem fundos para pôr cartuchos e tiro as roupas amassadas da cidade e me olho nos espelhos todo adornado de couro e de fustão.

Dali a pouco descemos pela trilha com os canos duplos a

tiracolo, para ver se acertamos em alguma caça em movimento ou parada. Não demos nem cem passos quando somos atingidos no pescoço por uma chuva de pedrinhas, atiradas com força, talvez por um estilingue. Em vez de nos virarmos imediatamente, fingimos que não foi nada e prosseguimos com os olhos fixos no muro do vinhedo acima da estrada. Entre as folhas cinzentas de sulfato desponta o rosto de um menino, um rosto redondo e vermelho com sardas que se amontoam sob os olhos, como um pêssego comido por pulgões.

— Meu deus, atiçam até as crianças contra nós! — digo, e começo a blasfemar contra eles.

O menino aparece de novo, faz uma careta com a língua e foge. Meu irmão passa pela cancela do vinhedo e se põe a persegui-lo pelas parreiras, pisando o terreno semeado comigo atrás dele, até que o enquadramos. Meu irmão o agarra pelos cabelos, eu pelas orelhas, noto que o estou machucando, mas puxo ainda mais, sinto que quanto mais o machuco, mais me enfureço, e gritamos:

— Isto é pra você e o resto vai ser pro seu pai, que mandou você aqui.

O menino chora, morde meu dedo e escapole; uma mulher de preto surge por trás das parreiras, esconde a cabeça dele nas dobras do avental e começa a gritar conosco, agitando um punho:

— Covardes! Perseguir uma criança! Vocês são os prepotentes de sempre. Mas o troco não vai demorar, não duvidem!

Enquanto isso já retomamos nosso rumo, dando de ombros, porque não se responde às mulheres.

Caminhamos e topamos com dois sujeitos carregados de feixes, que avançam dobrados em ângulo reto pelo peso.

— Ei, vocês dois — os interrompemos —, onde pegaram essa lenha?

— Onde bem quisemos — respondem, e se preparam para seguir.

— Porque se pegaram do nosso bosque vão ter de levar de volta e ainda vamos pendurá-los nas árvores.

Os dois pousam a carga sobre a mureta e nos olham suados sob o capuz de saco que lhes protege a cabeça e os ombros.
— Nós não sabemos o que é seu e o que não é seu. A gente não conhece vocês.
De fato, pareciam pessoas novas, talvez desempregados catando lenha. Razão a mais para nos apresentarmos.
— Somos os Bagnasco. Já ouviram falar?
— Nós não sabemos nada de ninguém. Nós pegamos a lenha no terreno da prefeitura.
— No terreno da prefeitura é proibido. Vamos chamar um guarda para metê-los na cadeia.
— Ah, é claro que a gente sabe quem vocês são — desembuchou um deles. — Acham que não são conhecidos? Sempre arranjando problemas para a gente pobre! Mas um dia vão se dar mal!
Eu retruco: — Se dar mal como? — mas logo decidimos deixar para lá e nos afastamos, trocando ofensas recíprocas.
Ora, quando eu e meu irmão estamos em outra cidade, conversamos com motorneiros, com jornaleiros, passamos um cigarro a quem nos pede, pedimos um cigarro a quem nos dá. Mas aqui é diferente, aqui sempre fomos assim, perambulamos com a espingarda e criamos confusão em todo canto.

Na estalagem da ponte fica a sede dos comunistas: do lado de fora se vê o painel com recortes de jornal e uns escritos presos por tachinhas. Ao passar, notamos um poema pendurado que diz que os donos são sempre os mesmos, e os que eram prepotentes antes são os irmãos dos prepotentes de agora. "Os irmãos" está sublinhado, porque tudo é um duplo sentido contra nós. Então escrevemos na folha: "Covardes e mentirosos", e assinamos "Giacomo Bagnasco e Michele Bagnasco".

No entanto, quando estamos fora, comemos minestra nas mesas frias de encerado onde comem os outros homens que trabalham longe de casa e escavamos com a unha o miolo do pão cinza e barrento; e aí o vizinho de mesa fala das coisas que estão nos jornais, e nós também dizemos: — Ainda há prepotentes no mundo! Mas um dia vai ser melhor. — Mas aqui, agora, não seria possível; aqui há terras que não produzem, meeiros que roubam, braçais que dormem no trabalho, gente que, quando passamos, cospem atrás de nós porque não queremos trabalhar nossa terra e — dizem — só prestamos para explorar os outros.

Chegamos a um local que devia ser passagem de pombos selvagens e procuramos dois lugares para esperar. Mas logo nos cansamos de ficar parados, e meu irmão me aponta uma casa onde moram umas irmãs e assovia para uma que é caso dele. Ela desce: tem peitos largos e pernas peludas.

— Ei, veja se sua irmã Adelina também vem, que meu irmão Michele está aqui — ele lhe diz.

A garota volta para casa, e eu pergunto a meu irmão: — É bonita? É bonita?

Meu irmão não se pronuncia: — É gorda. Mas topa.

As duas saem de casa, e a minha é mesmo gorda e grande; mas para uma tarde como aquela pode servir. No início começam com histórias e dizem que não podem ser vistas por aí com a gente, porque senão todo mundo do vale se afastará delas, mas nós dizemos que deixem de ser bobas e as levamos para o campo, ali onde emboscávamos os pombos selvagens. Aliás, de vez em quando meu irmão acha um jeito de disparar; está habituado a levar a garota para as caçadas.

Depois de um tempo que estou ali com Adelina, sinto bater entre a cabeça e o pescoço outra saraivada de pedrinhas. Vejo o menino das sardas fugindo, mas não tenho vontade de persegui-lo e o xingo de longe.

No final, as garotas dizem que precisam ir à missa.

— Podem ir, sumam da nossa frente — dizemos.

Depois meu irmão me explica que as duas são as maiores vacas do vale e temem que, se os outros rapazes as virem com a gente, não queiram mais ir com elas por despeito. Eu grito ao vento: — Vacas! —, mas no fundo lamento que só queiram vir com a gente as duas maiores vacas do vale.

No átrio de San Cosimo e Damiano está toda a gente, esperando pela bênção. Abrem passagem para nós, e todos nos olham feio, até o padre, porque nós, os Bagnasco, não vamos à missa há três gerações.

Seguindo em frente, sentimos algo que cai perto de nós.

— O menino! — gritamos, e quase já saímos atrás dele. Mas é uma nêspera podre que se soltou de um galho. Continuamos a andar, chutando as pedras do caminho.

A CASA DAS COLMEIAS

É difícil avistá-la de longe, e mesmo quem já esteve lá uma vez não se lembra do caminho de volta; havia uma trilha, e eu a destruí a pazadas, cobrindo-a de sarças que germinaram e apagaram qualquer vestígio. Casa minha, que escolhi bem, perdida nessa margem de giestas, construção térrea que não se vê do vale, branca em seu reboco de cal, roída pelos buracos das janelas como um osso.

Eu poderia ter trabalhado a terra em torno dela e não o fiz, me basta um quadrado de horta onde as lesmas roem alfaces e um terreiro para afofar com um forcado, de onde tiro batatas roxas. Não preciso trabalhar mais do que como, porque não tenho que dividir nada com ninguém.

E não arranco as ervas daninhas que sobem pelo telhado da casa, nem as que já caem sobre a horta como uma avalanche lenta; gostaria que sepultassem tudo, incluindo eu mesmo. Além disso, lagartos fizeram ninho nas fendas dos muros, e formigas escavaram cidades porosas sob as lajotas do piso e agora saem em fila. Eu as observo todo dia e me alegro ao notar uma nova trinca que se abre; e penso no instante em que as cidades do gênero humano irão sufocar engolidas pelas plantas silvestres que descem o vale.

Acima da minha casa há faixas de campo áspero, onde deixo minhas cabras pastarem. Ao amanhecer, às vezes passam cachorros farejando rastros de lebre; eu os expulso a pedradas.

A CASA DAS COLMEIAS ■

Odeio cachorros, essa sua fidelidade servil aos homens, odeio todos os animais domésticos, que fingem entender o gênero humano para lamber os restos de seus pratos gordurosos. Suporto apenas as cabras, porque não dão nem esperam intimidade. Não preciso de cães acorrentados que me sirvam de guarda. Nem de cercas ou ferrolhos, monstruosas máquinas humanas. Em meu terreno há colmeias pousadas em pranchas de tábuas ao redor e um voo de abelhas denso como uma sebe espinhosa, que só eu atravesso. De noite as abelhas dormem nas cartilagens dos favos, mas nenhum homem chega perto da minha casa; têm medo de mim, e com razão. Quer dizer, têm razão, mas não porque certas histórias que contam sobre mim sejam verdade; são puras mentiras, dignas deles, mas estão certos em ter medo de mim, e é isso mesmo que eu quero.

De manhã, dobrando o cume da colina, vejo embaixo o vale que desce e o mar altíssimo, todo em volta de mim e do mundo. E aos pés do mar vejo as casas do gênero humano espremidas, naufragadas em sua falsa fraternidade, vejo a cidade fulva e calcária, os lampejos de seus vidros e a fumaça de suas lareiras. Um dia arbustos e ervas cobrirão suas praças, e o mar subirá modelando em rochas as ruínas de suas casas.

Agora apenas as abelhas estão comigo: enxameiam em torno de minhas mãos sem me picar quando tiro o mel das melgueiras e pousam sobre mim como uma barba viva, abelhas amigas, de saber antigo e sem história. Há anos vivo neste barranco de giestas, com cabras e abelhas: antes, fazia um sinal no muro a cada ano que passava; agora o mato sufoca todas as coisas, esse absurdo tempo humano. No fundo, por que eu deveria ficar com os homens e trabalhar para eles? Tenho asco de suas mãos suadas, de seus rituais selvagens, bailes e igrejas, da saliva ácida de suas mulheres. Mas aquelas histórias, acreditem em mim, não são verdadeiras; sempre contaram histórias sobre mim, raça de mentirosos.

Não dou nem devo nada a ninguém: se de noite chove, de manhã se arrastam pelas encostas grandes caracóis, que cozinho e como; no bosque, cogumelos moles e úmidos brotam do terriço. O bosque me dá tudo o que me falta: lenha e pinhas para queimar, e castanhas; também capturo bichos com armadilhas, lebres e tordos; não pensem que amo os animais selvagens, que eu seja um adorador idílico da natureza, hipocrisias absurdas dos humanos.

Sei que no mundo é preciso que uns devorem os outros, e que vale a lei do mais forte: mato os bichos que quero comer, não outros, com arapucas, não com armas, para não depender de cães ou criados que os capturem.

Às vezes, quando não ajo a tempo de me esquivar de seus rumores nefastos, encontro homens com machados no bosque derrubando troncos, um a um. Finjo que não os vejo. Aos domingos, os pobres vêm buscar lenha nos bosques que se despelam feito cabeças manchadas de alopecia: os troncos arrastados por cordas formam pistas íngremes por onde a chuva jorra nos temporais, causando desmoronamentos. Quem dera tudo se arruinasse sobre as cidades do gênero humano e um dia eu pudesse ver, caminhando, os topos das chaminés a emergir da terra, topar com esquinas de ruas interrompidas em meio a despenhadeiros e, no fundo das florestas, clareiras cortadas por trilhos.

Mas talvez vocês também queiram saber se algum dia eu senti o peso da solidão, se numa noite, em um desses longos crepúsculos, um dos primeiros crepúsculos longos de primavera, eu desci sem uma ideia precisa rumo às casas do gênero humano. Desci sim, num crepúsculo tépido, na direção daqueles muros que cercam os jardins, ultrapassados pelas copas das nespereiras; desci, e os risos que ouvi de mulheres, o chamado de uma criança distante, foi a última vez, e então voltei aqui para cima. É isto: eu também, assim como vocês, às vezes me pego com medo de errar. E então, tal como vocês, continuo.

Agora vocês têm medo de mim, e com razão. Mas não por aquele fato. Aquele fato, acontecido ou não, eu naquela época, foi há tantos anos que agora não conta.

Aquela mulher, eu tinha vindo aqui para cima havia pouco, aquela mulher escura que veio ceifar, eu ainda cheio de afetos humanos, aquela mulher escura eu vi ceifando alta na encosta, e ela me cumprimentou, e eu não a cumprimentei e passei direto. Eu ainda estava cheio de afetos humanos e de uma antiga ira e me aproximei sem que ela ouvisse, eu tinha uma ira antiga, não contra ela, nem sequer me lembro de seu rosto.

Ora, a história como os outros contam é certamente falsa, porque era tarde e nenhum ser humano estava no vale e eu a segurava com a mão na garganta e ninguém escutou. Porque eu devia lhes contar a história desde o início, e então vocês entenderiam.

Pronto, não vamos mais falar daquela noite, eu vivo aqui dividindo minhas alfaces com as lagartas que furam suas folhas e conheço todos os lugares onde os cogumelos crescem e sei distinguir os bons dos venenosos: não penso mais em mulheres, em seus venenos, ser casto é apenas questão de hábito.

A última foi aquela mulher escura da foice. O céu estava carregado de nuvens, me lembro, nuvens negras que corriam e corriam. Aí está: sob o céu em fuga, pelo barranco roído pelas cabras, as primeiras núpcias humanas, sei que nos encontros humanos não pode haver senão assombro e vergonha recíprocos. Era isso que eu pedia a ela: assombro e vergonha nos olhos, nada mais que assombro e vergonha nos olhos, só por isso eu com ela, acreditem.

Ninguém nunca me disse nada, nunca: porque não podem me dizer nada, o vale estava deserto naquela noite. Mas toda noite, quando as colinas se perdem no escuro e eu não consigo acompanhar o raciocínio de um velho livro ao lume da lamparina, e a cidade do gênero humano com suas luzes e suas músicas está lá ao fundo, ouço as vozes de todos vocês que me acusam.

No entanto ninguém estava lá para me ver no vale, aquela mulher não voltou mais para casa e por isso falam, mas não é verdade que nas faixas de campo sobre minha casa esteja enterrado o cadáver daquela mulher.

E se esses cachorros que passam sempre param para farejar em um ponto, uivando e escavando a terra com as patas, é porque ali há uma velha toca de toupeiras, lá embaixo, juro a vocês, uma velha toca de toupeiras.

A MESMA COISA QUE O SANGUE

Na noite em que a ss prendeu a mãe, os rapazes subiram para jantar na casa do comunista. O comunista estava numa cabana a meia colina; chegava-se lá por uma trilha entre oliveiras e muros. A noite se adensava, cinzenta, quase com pressa, como se quisesse apagar tudo. Enquanto andavam, os irmãos estavam atentos ao latido dos cães no fundo do vale; podia significar que a ss estava indo buscá-los, ou que a mãe já tinha sido libertada, ou o pai, ou alguém que vinha informar alguma coisa, algo que pudesse esclarecer. Mas os cães latiam para a sopa, e as crianças nas casas do vale gritavam batendo as colheres nas tigelas.

O ritmo das coisas tinha mudado, demasiado lentos os sentidos, ágeis demais os pensamentos. Mudado de uma hora para outra. Desciam do bosque, o irmão mais velho e o comunista. Tinham estado com o irmão mais novo na Rovere del Fariseo, para levar medicamentos ao bando de Giglio. Debaixo de um carvalho, Giglio e Magro esperavam por eles com a pistola escondida sob o colete. Giglio estava nas Rocche del Corvo, combatia por conta própria com poucos homens, dependendo ora de um bando, ora de outro, mas sempre segundo sua conveniência. Conversaram sentados sob o carvalho sobre como tratar das erupções nas pernas causadas pela palha onde dormiam, e também sobre a necessidade de fazer que os *partigiani* desgarrados da zona se juntassem regularmente às formações e parassem de circular pelos bosques feito ladrões.

Depois lhes mostraram uma cova boa e escondida, onde podiam dormir cinco homens. Quando voltavam pelo bosque, encontraram uma moça que conduzia algumas cabras, e o irmão mais novo parou para ficar com ela. Por todo o bosque era possível ouvi-lo cantar com ela, saltando pelas margens dos pinheiros com as cabras.

Depois, na Bicocca, todos os moradores das sete casas estavam nas soleiras. Walter também estava lá.

Falou agitado: — Sabem algo lá de baixo?

— O que há lá embaixo?

— A coisa está feia. A ss prendeu sua mãe. Seu pai desceu para ver se a liberam.

Então o ar ficou tenso e carregado, como quando a brigada negra subia e se ouviam rajadas entre as oliveiras. Uma avalanche de perguntas nos tímpanos, na garganta. Na memória surgiam e desapareciam caras verdes de espiões, como bolhas que estouravam. O irmão que voltava todo satisfeito entoando a canção da pastora soube imediatamente da história e se calou.

Agora havia esse fato novo, e toda a situação de antes tinha mudado; havia esse fato novo misturado às coisas, a mãe deles levada pelos alemães. E os irmãos pareciam ter voltado à infância, rapazes já grandes, com livros, garotas, bombas, e mesmo assim regrediram à infância, atingidos em sua parte criança, atingidos na mãe. Agora se dariam as mãos e caminhariam perdidos, meninos sem a mãe. Entretanto havia muita coisa a fazer: ocultar as bombas, as pistolas, os carregadores, os fuzis, os remédios, os impressos, escondê-los dentro da cavidade das oliveiras e atrás das pedras dos muros, para que os alemães não fossem vasculhar lá em cima, para buscá-los. E se perguntar como, quando e por quê, se perguntar em voz alta e mentalmente, sem nunca chegar a uma conclusão.

Na casa entre as oliveiras de onde haviam escapado, a avó nonagenária e quase cega era um grande ponto de interrogação à espera. Havia uma longa história de guerras em sua memória implacavelmente lúcida: havia Custoza, havia Mentana, guerras com trombetas, com tambores; agora era preciso explicar a ela sobre a ss, sobre a guerra que levava as mães embora. Melhor inventar uma história de toque de recolher antecipado, de bloqueio da cidade pelos alemães, o que impediu a filha de voltar e fez o genro descer para lhe fazer companhia.

Mas a casa era um cipoal de perguntas, e os irmãos preferiram subir para jantar com o comunista. Naquele dia o comunista havia matado um vitelo para o bando do Biondo, cozinhara suas tripas e os convidara para comer com ele. Os irmãos subiam falando de assassinato.

A casa do comunista era feita de um só cômodo, baixo; vista de fora, à noite, parecia um amontoado de pedras. Ali perto, o vitelo esquartejado fora pendurado numa oliveira. Dentro estava escuro e não havia velas. Os irmãos se sentaram à mesa baixa, mudos, sobre dois cepos de madeira. A mulher do comunista encheu os pratos deles de tripa temperada e azeitonas. Os irmãos mexiam a colher às cegas na comida espessa. Perto do teto se ouviu um farfalhar, como um bater de asas: no escuro de um nicho, os irmãos distinguiram o falcão do comunista, Langàn, capturado nos montes durante a primavera, lembrança do grande acampamento de Langàn, fabuloso na memória dos velhos *partigiani*, da grande batalha perdida em julho.

Sentado nos joelhos da mulher, o menino começou a rir para o falcão: o menino não era deles, era filho de um policial desertor, e tinha sido confiado ao comunista. Então começaram a conversar, primeiro sobre a conveniência de esconder o vitelo até que os rapazes de Biondo chegassem para buscá-lo; depois, sobre por que, como e quem teria sido o traidor.

O comunista era um homem baixo, com uma grande cabeça calva, que tinha girado o mundo e sabia todos os ofícios. Era alguém que conhecia o mal e o bem da vida, via tudo ir de mal a pior, mas sabia que um dia seria melhor; era um operário que tinha lido livros, um comunista. Trabalhava no campo por diária, porque o ar da cidade já não fazia bem a ele; e trabalhava bem, entendia de semeadura, de hortaliças. Mas gostava ainda mais de ficar sentado nos muros falando das coisas que se perdem no mundo, do café que se queima no Brasil, do açúcar que

A MESMA COISA QUE O SANGUE ■

se joga ao mar em Cuba, das latas de carne que apodrecem nas docks de Chicago. Recordações dele, de uma vida cheia de miséria, de emigrações, de policiais; recordações de um homem espancado pela vida, um homem que se interessa por todas as coisas, pelo mal e pelo bem do mundo, e que reflete sobre isso. Ao vagar pelos campos, o irmão mais velho com um livro na mão, escondendo-se nas torrentes caso a brigada negra subisse, e o mais novo, sempre em busca de cápsulas de pistola e carregadores de metralhadora, topavam com ele pelas trilhas levando o menino do policial pela mão, explicando para ele os nomes das plantas: um homenzinho calvo com uma roupa preta toda amarrotada. E então começavam as conversas: discussões com o mais velho sobre Lênin e Gorki, com o mais novo, sobre calibres de pistolas e armas automáticas.

Em torno dos irmãos agora havia um silêncio inchado de sangue e raiva, e as palavras mergulhavam dentro. Só a mulher podia dar um pouco de calor àquela escuridão, e tentava transmitir coragem; uma mulher ainda jovem, um tanto emurchecida, dessas mulheres com uma doçura que não se sabe se de mãe ou de amante, como se nelas não existisse esse limite; era a companheira de um comunista, alguém que entendeu por que se sofre e vai à cidade com revólveres na sacola de compras.

Depois de comer, os irmãos e o comunista tomaram o rumo do bosque com mantas nos ombros e foram dormir naquela cova indicada pelo Giglio. Andando pelas vinhas, ouviram um passo no escuro, e o mais novo gritou: — Alto lá! Pare ou eu atiro! — enquanto os outros lhe davam socos nas costas para que ficasse quieto. Mas era Walter que vinha se juntar a eles para também dormir na cova.

O irmão mais novo e Walter eram inseparáveis, sempre perambulando pelos campos armados de pistolas, no rastro de fascistas, bancando os valentões com os refugiados e os corajosos com as meninas. O irmão mais velho era um tipo mais sonhador, como um hóspede de outro planeta, talvez nem sequer capaz de carregar uma pistola. Era capaz de explicar o que é a democracia, o comunismo, sabia histórias de revoluções, poemas contra tiranos; coisas até úteis de saber, mas haveria tempo de aprendê-las depois, terminada a guerra. E, depois de ouvi-lo por um momento, o irmão e Walter recomeçavam a brigar por um coldre de pistola ou por uma garota.

Mas agora os dois irmãos tinham algo em comum, alguma coisa mudara neles, o interesse por aquela vida que levavam, o que estava em jogo, não mais algo externo a eles, mas no fundo, dentro do sangue. A luta, o ódio pelos fascistas já não eram como antes; para o mais velho, uma coisa aprendida nos livros e reencontrada como por acaso na vida; para o mais novo, uma bravata, um vagar pelas veredas carregado de bombas e assustando as moças: eram agora a mesma coisa que o sangue, algo enraizado neles como o sentimento da mãe, uma coisa decidida de uma vez por todas, que os acompanharia pelo resto da vida.

Era também o frio quando desceram à cova, que os fez se aninharem próximos, um ao lado do outro. Tinham necessidade de sono, de um sono pesado que os sepultasse, que cancelasse aquele seu devaneio, a imaginação dos albergues onde os alemães mantêm os prisioneiros, com a ss a circular pelos corredores iluminados a noite toda. Eles levariam desde então essa ofensa no fundo mais infantil da alma, vingando-se, continuando a se vingar mesmo quando a mãe e o pai tivessem voltado, ofendidos nas raízes da vida, por toda a vida. E a coisa que mais lhes dava medo era pensar em quando acordariam no dia seguinte, e de repente se lembrariam do que havia acontecido.

No dia seguinte o irmão mais velho estava sentado no terreno árido entre os campos e o bosque quando os navios surgiram no mar e começaram a bombardear a cidade. Começavam sempre naquele horário: primeiro se via o disparo como uma faísca no navio, então se ouvia o estrondo do projétil e depois o impacto. Estava esperando o irmão que descera em busca de notícias e ainda não voltara; as que se sabiam até o momento não eram tranquilizadoras: a mãe detida pelos alemães como refém, o pai internado em um hospital, após ter sofrido um de seus ataques.

A cidade se estendia abaixo dele sobre o mar, sua cidade,

que agora lhe era proibida e cheirava a morte nas curvas de suas ruelas. E, no coração da cidade, sua mãe prisioneira. E tiros de canhão como socos, vindos do mar estriado de azul, tenso, como do vazio, contra sua cidade, contra sua mãe.

Algum paiol devia ter explodido na cidade: ouvia-se uma cerrada sucessão de estrondos que não vinham do mar. Logo uma nuvem se ergueu sobre as casas, com pontos negros que rodopiavam no alto; os estampidos tomavam conta dos vales. Quando a fumaça se tornava menos densa, era possível distinguir as casas desmanteladas e em ruínas.

Então o rapaz pensou em si mesmo, esfarrapado, caçado pelos bosques, com o pai no hospital, a mãe prisioneira, sua cidade, sua casa sendo arrasada diante dos olhos, o irmão que não voltava e talvez estivesse preso, e mesmo assim sentiu que estava quase tranquilo, como naquilo que é justo, no normal, como se a vida fosse normal tal como naquele momento era para ele.

O irmão chegou com um recipiente cheio de polenta e notícias melhores: o pai fingia estar doente para não ser preso e queria ficar plantado no hospital para que liberassem a mãe; a mãe era refém e mandava dizer que ficassem atentos e não se preocupassem com ela; embaixo as forças de assalto da Décima Frota mandavam tudo pelos ares e destruíam meia cidade.

Com ele também subira o Giglio, que se entusiasmava ao ver o bombardeio e, sendo a fera que era, socava a palma da mão gritando: — Dá-lhe, dá-lhe! Vamos! Destruam tudo! Primeiro minha casa! Todos os fascistas mortos! Todos os outros salvos! Alguns feridos! Dá-lhe! Minha casa primeiro!

No dia seguinte, foram com o comunista levar a carne de vitelo ao acampamento do Biondo. Os homens estavam armados até os dentes e desciam à cidade toda noite, para combater com tiroteios.

Assaram um quarto de vitelo no espeto e se puseram a comer todos juntos, ao redor do fogo. Falavam dos companheiros mortos e torturados, dos fascistas justiçados e por justiçar, dos alemães que poderiam eliminar.

— Mas é melhor — disse o irmão mais velho — que a gente não mexa com os alemães. Porque minha mãe está entre os reféns, e é melhor não brincar com fogo. — Mas havia algo em suas próprias palavras que não o convencia, como uma renúncia, como se naquele instante houvesse abandonado a mãe com aqueles que a tinham capturado. E se envergonhou do silêncio que se seguiu às suas palavras.

Na volta, conversando com o irmão, disse: — Não tenho mais cabeça para seguir nessa vida de rebelde de luxo. Ou somos *partigiani* ou não somos. É bom que num desses dias a gente tome o rumo das montanhas e suba com a brigada.

O irmão disse que já tinha pensado nisso.

Depois, enquanto retornavam, pararam nas Rocche del Corvo e assoviaram para o Giglio. E enquanto o esperavam, sentados na beira do precipício, o comunista ia se perguntando como as rochas se formaram, e os precipícios, e as montanhas, e quantos anos a terra teria. E todos juntos discutiram sobre os estratos das rochas, sobre as eras da terra e sobre quando a guerra acabaria.

À ESPERA DA MORTE EM UM HOTEL

A certa hora da manhã, as mulheres dos prisioneiros começavam a chegar e a acenar para eles, com os rostos levantados para as janelas. Do último andar, eles se inclinavam perguntando, respondendo; e as mãos das mulheres, embaixo, e as mãos dos homens, no alto, pareciam querer se unir através daqueles metros de ar vazio. O grande hotel, reduzido havia pouco a quartel e prisão, não tinha objetos que servissem à alma para concretizar aquele sentido de liberdade perdida, como grades ou muralhas. Para nutrir sua angústia só restava aquela vertical distância entre uns e outros, breve e mesmo assim desesperada, daqueles com os pés nos canteiros, ainda donos de si mesmos, até os outros, conduzidos lá para cima como a regiões sem caminho de volta.

De vez em quando um dos prisioneiros que estavam na janela se virava para o corredor e chamava um nome: — Ferrari! Ferrari! Sua mulher está lá embaixo! — O interpelado abria espaço na janela já apinhada e começava a lançar magros sorrisos, gestos que queriam se mostrar resignados.

Diego nunca aparecia; a família dele estava longe, dispersada pela guerra. Ele estava cansado daquele ininterrupto marulhar de previsões, suposições, de notícias boas e ruins que o vaivém no jardim do hotel pressionava até lá em cima. Infiltrava-se nele, com a exaustão dos nervos, um gosto por se deixar ir à deriva, rumo à ruína ou a uma sempre esperada salvação milagrosa, uma vontade de verões transcorridos deitado na areia à beira d'água, vontade deixada nele pelos muitos verões de água e areia que o haviam levado até ali, preguiçoso e desprovido, àquele seu primeiro verão inútil, que agora terminava.

Mas o tempo era uma teia de nervos tensos, um puzzle que pode ser composto em mil figuras, todas sem sentido. Perdidos, os homens aprisionados ao acaso pelas ruas caminhavam para cima e para baixo sobre o linóleo dos cômodos vazios, onde sorriam debochados apenas os lábios brancos dos lavabos e dos bidês obstruídos pela água podre.

No dia anterior, conduzido até ali das prisões do forte onde permanecera um dia e uma noite com outros homens, agora talvez assassinados, tivera a impressão de ter sido exumado ao se encontrar no hotel arejado, cercado pelo calor daqueles homens ignaros e dados a esperanças. Sorrira e brincara ao revê-los; Michele, o companheiro com quem tinha sido capturado, também estava entre os prisioneiros do hotel. Festejaram ao se reencontrar sãos e salvos, depois de, separados por um dia e uma noite, terem temido um pelo outro. Diego se sentira comovido e ao mesmo tempo mais forte ao tocar o capote áspero de Michele, a lisura de sua grande cabeça calva que lhe chegava ao peito. Michele ria de nervoso com a boca mal dentada e perguntava: — O que você me diz, Diego, vamos meter os nazistas no *saco*? — Diego disse: — Com certeza que vamos. Vamos meter todo o Terceiro Reich no *saco*. — Até Von Ribbentrop? — Até Von Ribbentrop. Até Von Brautschisch. Até o dr. Goebbels. — E se agacharam ao lado de um aquecedor frio, gastando o nervosismo em risos e piadas (ainda não sabiam que vários dos capturados com eles já tinham sido executados), e Diego experimentava a alegria de quem sai da cadeia depois de anos.

A prisão era uma velha fortaleza no porto, onde na época estava instalada a bateria antiaérea alemã. A cela onde tinham sido trancados servira de prisão disciplinar para soldados alemães; nas paredes havia frases escritas em alemão por militares homossexuais: "*Mein lieber Kamarad* Franz, meu querido com-

panheiro Franz, estou aqui preso e você está longe de mim".
"*Mein lieber Kamarad* Hans, a vida era feliz ao seu lado."

Eram uns vinte na cela estreita, deitados no chão um rente ao outro. Um velho de barba branca vestido de caçador, pai de um deles, se levantava de vez em quando no meio da noite e, passando por cima de seus corpos, ia urinar com dificuldade em um canto. A lata no canto estava toda furada pela ferrugem, e em pouco tempo a urina do velho invadiu o piso da cela sob seus corpos, como um rio. Berros desumanos de comando, como de homens que querem se passar por lobos, cresciam em ecos na fortaleza a cada troca de sentinela.

As grades davam para o arrecife; o mar rugia a noite toda se lançando contra os escolhos, como o sangue nas artérias e os pensamentos nas volutas dos crânios. E cada um levava na cabeça a esquina que não deveria ter dobrado para não acabar lá dentro: Diego, ao virar uma esquina com Michele, tentando escapar da razia, ficou cara a cara com alemães camuflados de guerra que paravam os passantes no meio da rua, a três metros deles, como na abertura de um filme.

Era uma corrente de sensações e de imagens que continuava se debulhando em sua mente como um rosário, para persuadi-lo de que não podia ter sido de outro jeito, enquanto permanecia na cela com os escritos dos homossexuais alemães nas paredes e o velho urinando no escuro, assim como agora entre os estuques descascados do hotel naquele último andar, como suspenso entre a vida e a morte, com homens inclinados para o chão quase tomados de vertigem.

Todo dia certo número deles era selecionado: para a vida ou para a morte. De manhã, o suboficial e Pele-de-cobra subiam com um maço de documentos na mão: aqueles que os recebiam de volta estavam livres e podiam sair. Era possível vê-los abraçando as esposas e se afastando de braços dados, pisando a grama dos canteiros, sob a chuva de inveja do olhar de quem ficava.

De noite, no entanto, uma camioneta cinza-chumbo com soldados armados e sentados à sua volta vinha parar na frente do hotel; o suboficial e Pele-de-cobra subiam e chamavam outros nomes; toda noite alguns partiam em meio aos capacetes dos soldados. No dia seguinte suas mulheres viriam chamar por eles sob as janelas, indo de um comando a outro e suplicando aos intérpretes: ninguém sabia dizer para onde tinham sido transferidos. Outras mulheres falavam de disparos ouvidos durante a noite, na direção dos bairros evacuados do porto.

Para Diego e Michele a alternativa também era essa, liberdade ou morte: ou seus documentos eram considerados bons, e então todo o Reich seria metido no *saco*, com histórias contadas à noite nas casas entre as risadas dos companheiros, ou era a camioneta cinza-chumbo que desaparecia entre o casario avariado na direção do cais, com Pele-de-cobra como delator.

Pele-de-cobra os passara em revista assim que foram levados para lá, perfilados diante do hotel, para ver se reconhecia algum ex-companheiro. Ele caminhava acariciando as próprias mãos, que deviam estar suadas; um rapaz frágil em seu uniforme justo de tecido grosso, com um sorriso úmido nos lábios ressecados, que ele lambia. Tinha bigodes incertos de uma penugem loura, pálido, as narinas e pálpebras avermelhadas pelo frio. Os olhos brilhavam de emoção ao se sentir, ele, rapaz frágil, árbitro da vida daqueles homens que prendiam a respiração a cada palavra sua, a cada gesto.

Eram momentos de triunfo inebriante para ele, mas sempre povoado de angústia; toda vez que aparecia nos corredores do hotel, os detentos se aglomeravam em torno dele para perguntar, para pedir, o chamando pelo nome: — Tullio, Tullio. — Ele olhava aqueles homens dóceis à sua volta, mas via por trás da humildade o ódio emergir afiado, e dissera a um deles: — Hoje vocês me bajulam e amanhã me dão um tiro nas costas.

Pele-de-cobra ora salvava, ora matava: era lunático e ambíguo. Muitos que o haviam conhecido antes, quando era um deles, se viram perdidos ao serem interrogados em sua presença: ele fingira não os reconhecer. Outros, que esperavam que ele fosse clemente por causa de velhos favores ou amizades, o viram arreganhar as gengivas contra eles, acuando-os como ratos. Pele-de-cobra ora parecia perdido no caminho do sangue, ora tomado por remorsos.

Passando-os em revista, parara diante de Michele e dissera: — Nós já nos vimos em algum lugar. — Michele retraiu o pescoço como se uma gota fria lhe descesse pela espinha, fazendo uma expressão de ignorância com o rosto alheado.

Diego estava sentado no piso de lajotas do corredor, com as mãos nos joelhos. Michele estava ao lado dele, com o rosto na janela. Esperava a esposa, que tinha ido falar com Luciano, um intérprete da ss que trabalhava para o comitê e se empenhara para que fossem soltos. A esposa de Michele era bem mais nova que ele, era uma menina quando se casara. Tinha grandes olhos cinzentos e nublados, algo de severo no rosto emoldurado por cabelos lisos e pretos, algo de alegre no corpo magro, no curto vestido lilás. Ao vê-la, dava pena que a vida fosse o que é, dolorosa e obscena, e que tudo não estivesse resolvido e tranquilo. Diego teria gostado de perambular com uma mulher como aquela por vilarejos ensolarados e sem injustiças.

Falou: — Se escaparmos dessa, depois que tudo acabar, quero passar uma semana neste hotel, quando ele reabrir para os turistas. — Michele não respondia. Diego disse: — Vou me deitar no chão bem aqui, como estou agora, no meio de um bando de senhores distintos que me acharão um doido.

Michele continuava na janela, sem se virar. Então se voltou e disse depressa, como se estivesse para lhe escapar da mente: — Diego, se quiser pão, minha mulher trouxe. Deixou com um soldado para que nos desse. — Diego perguntou: — Sua mulher veio? Ela falou?...

Michele não o olhava diretamente, mantinha a vista fixada no teto. — Diego, me diga, quanto a mim não há mais nada a fazer. Pele-de-cobra me vendeu. Luciano contou para minha mulher. Está lá embaixo, chorando. — Assim disse Michele; em suas palavras havia a simplicidade das coisas há muito temidas, uma vez que acontecem.

Michele começara a caminhar de uma ponta a outra do corredor, com as mãos nos bolsos, os olhos enormes nas pálpebras que pesavam, abertas. Às vezes os outros lhe dirigiam a palavra e ele os olhava atônito, como se tivesse que voltar de intermináveis distâncias para se reaproximar dos objetos de suas falas. Talvez pensasse no vazio, como para se habituar a não existir.

Diego acompanhava as passadas de Michele de longe, quase com ânsia de que os outros, sem saber, perturbassem aquela caminhante agonia: um simples aceno em sua fala de vivos bastaria para, num instante, deixá-lo desesperado por sua vida perdida. Somente ele entre todos sabia que aquele homem no corredor caminhava para a morte, agora distante apenas mil, dois mil passos. Aquela era sua vigília fúnebre: era um morto que passeava em sua câmara ardente, naquele corredor de rosas descascadas de estuque no teto e de vultos embaçados nos espelhos sobre as lareiras de mármore.

Diego pensava em Michele enquanto o velava: Michele, um companheiro idoso, um bom homem, mesmo com todos os defeitos; não muito corajoso, não muito alinhado com o partido. Discutiam com frequência, por aquela mania que Michele tinha de cuspir sentenças e querer ter sempre razão, com sua prosopopeia de autodidata.

Agora Michele andava pelo corredor, com as mãos nos bolsos do capote, a grande cabeça calva encaixada nos ombros, os grandes olhos bovinos perdidos no vazio, como espantado com a enormidade do que estavam por lhe tirar. Era um pobre homem baixo e calvo num velho capote, com uma barba de três dias; mas Diego teve a impressão de ver nele, naqueles olhos bovinos, no caminhar lento e absorto uma força assustadora da natureza, lhe pareceu que Michele continuaria caminhando assim mesmo depois de morto, que entraria no dia seguinte, pela janela, nas salas onde os oficiais alemães farreavam, agora uma figura imensa, mas sempre vestindo seu pobre capote, com as mãos nos bolsos, a cabeça calva de olhar bovino e perdido no vazio, e caminharia com aquele passo lento sobre as toalhas manchadas de espumante, em silêncio, diante das árvores de Natal iluminadas, das cruzes de ferro reluzentes, da nudez dos seios e das nádegas suntuosas, em meio ao terror dos oficiais alemães e aos gritos das mulheres. E assim continuaria a caminhar, mesmo depois de terminada a guerra, e os ricos não teriam paz em suas mansões nem alegria em suas famílias sem que esse homem baixo e desmedido entrasse pelas janelas e atravessasse seus quartos; e nas mesas ao redor das quais se decide a paz e a guerra e em todos os lugares onde se impede ou se saqueia ou se mente, onde se prega o falso, onde se adoram deuses injustos, sempre apareceria a sombra do homem assassinado à noite no cais.

Um dos prisioneiros falou de homens enforcados pelos alemães; Diego viu Michele pendurado num poste de luz do porto, os olhos enormes, as mãos apertadas ainda dentro dos bolsos. E lhe pareceu que a morte de Michele teria sido causada por todos os homens, todos eles, uma culpa sem limites que devia tirar toda a alegria da vida, a ser expiada nos séculos dos séculos.

Sobre os círculos de água onde Michele desaparecera boiava apenas seu capote vazio, de braços abertos como uma cruz. O sino da boia vermelha no meio do porto, movido pelas ondas, tocava pelo companheiro assassinado. Debaixo da água, o cabo que mantinha a boia ancorada terminava em um nó corrediço, com a cabeça de Michele dentro dele. Mas a cabeça vinha à tona, verde de algas, os olhos arregalados, e dava um grito. O velho pai vestido de caçador se levantava na noite e começava a urinar gemendo, enorme sobre todos eles. Os rios transbordavam, todos os homens bons e ruins eram submersos. Os órgãos do velho, cansados por ter gerado todos os homens, agora afogavam o universo. Somente Pele-de-cobra fugia pela terra em busca de abrigo, acariciando as mãos suadas, umedecidas na água pútrida dos bidês do hotel. Mas cada caixão estava ocupado por um morto, assassinado por ele; a inundação o circundava de todos os lados, o arrastava num sorvedouro.

A camioneta estava atrasada naquela noite, e todos diziam

aliviados que não viria. Michele esperava olhando o crepúsculo. No entanto, chegaram quatro ônibus de turismo, guiados por soldados alemães. Houve agitação entre os detidos, perguntas e suposições. Imediatamente o sargento subiu com a lista e os chamou um por um. Diego e Michele foram chamados na companhia de outros, com os nomes falsos que tinham dado; aliás, o sargento pronunciou errado o nome de Michele, como se nunca o tivesse entendido.

Os prisioneiros foram divididos em quatro grupos e conduzidos um a um aos ônibus. Diego e Michele se viram de novo juntos, ainda unidos àquela aglomeração quase ciumenta pela injustiça sofrida. Entre as vozes ansiosas daqueles homens circulou um nome vindo não se sabia de onde: — Marassi, Marassi. Vão nos levar para Marassi. — Mas aquele nome quase tranquilizava Michele e Diego, significava deixar aquela angústia de morte iminente, o Pele-de-cobra ambíguo, os locais conhecidos e cheios de insídias.

Diego sentia o capote áspero de Michele sob seus dedos, o sangue retornando às artérias. Disse: — Não lhe disse que Luciano é um fanfarrão? Não lhe disse? — E Michele repetia: — Que fanfarrão, hein! — com um sorriso já mais solto, como se apreciasse uma piada.

Os dois companheiros compreenderam que qualquer que fosse seu destino dali para a frente, de sangue, de gritos, de privações, ainda assim sentiriam o gosto sanguíneo de estarem vivos e de compartilhar a dor como um pão. Um áspero sabor de vida os acompanharia dali em diante, pelos subterrâneos uivantes de Marassi, nos quartéis desolados do Norte, até o retorno.

ANGÚSTIA NA CASERNA

O mal começou a nascer nele assim: ver o cavalo frisão pela escada, carregado de arame farpado, e pensar que poderia conter um sentido ameaçador e alusivo ao seu futuro. Mas já antes, mais de uma vez, a visão de seu catre bastara para atormentá-lo, aquele seu catre esquelético e disforme, que parecia querer anunciar alguma coisa, algo que ele não entendia, uma mensagem de desespero, de impotência. Quatro, cinco, seis catres e depois o dele, e depois outros dois, três, quatro catres. Eram pensamentos sem sentido, como se deu conta.

No entanto, um, dois, três catres, talvez janeiro, fevereiro, março, junho, julho, o que lhe acontecera em julho? E então aquele catre vazio, por quê? Agosto, setembro, outubro, novembro. Algo terminava em novembro: a guerra? A vida?

Além disso, era preciso levar em conta que os primeiros cinco catres eram dos velhos, soldados que se apresentaram à convocação, alguns no 8 de setembro nem tinham suspendido o serviço militar, e agora montavam guarda e circulavam armados; já nos outros catres estavam os desertores, os capturados como ele, que varriam e transportavam o lixo. Depois havia o mistério daquele catre vazio e fechado — agosto, abril? — no qual decerto se ocultava algo esperado ou temido, a paz, a morte, mas algo de ainda mais secreto e hostil, que não era possível compreender.

Ou, a começar pela base, os anos de guerra: quarenta, quarenta e um, dois, três, quatro — por que o quarenta e oito vazio? —, e ele quarenta e cinco: que sentido havia em tudo isso?

Deitou-se sobre o catre fechado, as costas sobre os ferros das bordas, os pés sobre a corrente que o mantinha atado. Agora pensaria com calma, raciocinando: não havia motivo para se angustiar tanto, bastava aguardar com paciência que a questão de seus parentes se resolvesse, que o pai fosse libertado, depois desertar, voltar para o bando, por enquanto tentar obter uma licença médica, um esconderijo, uma maneira legal de se "desvincular", ficar de olhos abertos para não ser mandado "para cima" com a patrulha de buscas, e, ao mínimo sinal de uma transferência para o Norte ou o Sul, estar pronto para a fuga, fosse do jeito que fosse.

Bastava isso; de resto, a carroça para transportar o lixo tinha um ar desengonçado e amigo, ensinava a levar as coisas na brincadeira, porque tudo se resolveria depois. Alto, voltava-se ao início: o mal dos símbolos, o caminho da loucura.

Pensando bem, o mal tinha começado na cadeia, na noite seguinte à prisão: o rumor do mar lá fora, como um zumbido de aeroplanos, a esperança e o medo de um bombardeio que os libertasse ou sepultasse. Mas era o mar confuso, sem ritmo, sem escape; a vida, algo cego e caótico. Desde então as coisas e os homens não foram mais os mesmos, mas símbolos.

As celas da cadeia, os escritórios desolados, os rostos nervosos dos oficiais alemães e dos fascistas, os hotéis luxuosos e devastados repletos com a multidão assustada dos reféns, por fim a caserna com sua angustiosa geometria de escadas, corredores e dormitórios desertos, seus habitantes obtusos e pálidos, todas as malhas de uma rede de desespero que apertava o mundo.

Agora os vidros da grande janela eram quadrados pintados de azul-turquesa, mas o terceiro da segunda fila estava faltando, o penúltimo tinha uma larga rachadura: e isso era doloroso, terrível. Impossível resistir à tentação de seguir aquela mosca que passava de um vidro a outro e se perguntar onde ela pararia. Era o mesmo cálculo que sempre se refazia. O fim da guerra e a morte. Mas qual chegaria antes, o primeiro ou a segunda?

Os homens da caserna se solidarizavam numa covardia comum, mentes entorpecidas de ignorância, rostos achatados, obrigados a tratar tudo em termos vulgares, com os quais humilhavam a si mesmos. Suas conversas se concentravam em soldos, na vida boa que levavam na "república", melhor que qualquer outra possível, e no fato de que a vida na caserna, sobretudo aquela da companhia-depósito, era melhor que em qualquer outra companhia. Exageravam seu amor pelo soldo e pela vida da companhia quase para se convencer de que não podiam deixar de estar ali dentro.

Vivendo no meio deles, o rapaz capturado sentia esse sopro pesado de covardia se adensar à sua volta e se misturar a uma de suas veias secretas, e a trepadeira poeirenta que crescia tapeçando os muros do pátio também o forrava, era um insinuar-se de solidariedade entre ele e os outros que o prendia naqueles muros, naqueles catres.

No andar de cima ficava o destacamento das razias, ou seja, a inconsciência. Recebiam um rancho melhor, melhores soldos, licenças frequentes. Voltavam a qualquer hora fazendo algazarra pelas escadas; do andar de baixo quase sempre se ouviam cantorias e discos tocando. Cada palavra deles, cada gesto exalava inconsciência, uma inconsciência voluntária, mantida à força, tornada uma regra de vida, para não pensar no que faziam. Com frequência saíam de manhã cedo, em formação, alguns armados de metralhadora; retornavam de noite ou no dia seguinte; não combatiam nunca nem encontravam "rebeldes"; mas saqueavam galinheiros e sempre apanhavam algum desertor foragido, que vinha engrossar a companhia do andar de baixo.

Na companhia-depósito, os do andar de cima eram odiados até pelos mais velhos; a superficialidade deles era observada com rancor por quem passava as horas calculando e discutindo sobre os ganhos e os riscos; a inveja floreava suas vantagens com previsões sinistras. Então começavam no dormitório as discussões sobre o pessoal da montanha e os ingleses, sobre quem chegaria primeiro, e que, se o pessoal da montanha chegasse primeiro, talvez todos os soldados fossem executados, mas eles não faziam nada de mau, e isso não seria justo; no entanto, se os ingleses chegassem primeiro, tratariam os soldados melhor do que os rebeldes, os alistariam para lutar com eles e meteriam os rebeldes na cadeia.

Depois, terminada a guerra, muitos deles voltariam às suas regiões, uns para a Sicília, outros para a Calábria, outros ainda para a Apúlia, às suas casas abandonadas por vinte, quinze meses, distantes como do outro lado de um túnel escuro e longuíssimo onde uma toupeira se movia lenta, escavando para reuni-los, a guerra. Naquele ponto, sempre começavam as conjecturas sobre quando a guerra acabaria, e todos concordavam em dizer que ela ainda duraria muitos anos; e o tropeiro de cara amarela vinha dizer que não acabaria nunca, que antes viria o fim do mundo, e fantasiava toda uma história em que Jesus Cristo e a pomba de Noé emergiam de seu uivo incompreensível.

Grande parte dos velhos era formada por sulistas, calejados por anos de Exército em sua astúcia indolente, habituados a se deixar deslocar da África para a Rússia com uma espécie de fatalismo desconfiado. Os nortistas que estavam entre eles tinham aprendido a usar seus modos de dizer e os repetiam com uma monotonia exasperante. O rapaz capturado tinha raiva quando os ouvia dialogar em suas discussões incompreensíveis. "Se eu ficar mais um pouco com eles", pensava, "vou acabar entendendo seus grunhidos e também vou pegar o hábito de dizer '*minchia*, senhor tenente' e '*sticchio 'e soreta*'."* Só esse pensamento bastava para fazê-lo estremecer, se levantar do catre e vagar pelos corredores e depósitos.

Mas os capacetes alinhados, em pilhas, eram tão úteis e estúpidos quanto o tropeiro da cara amarela.

(*) Respectivamente, "caralho, senhor tenente" e "a boceta da sua irmã", em siciliano. (N. T.)

***

As conversas preferidas dos soldados eram sobre as coisas que tinham pilhado no "8 de setembro", como as haviam ocultado e mantido a salvo dos oficiais e dos alemães, e a grana que fizeram ao vendê-las. O tropeiro da cara amarela, que no 8 de setembro não tinha levado nem um cobertor, ficava calado, com vergonha, enquanto um ex-garçom de Sanremo contava como tinha escapado da França com dez esterlinas de ouro na cueca. Mas a inveja se transformava em ódio contra os oficiais que tinham conseguido sumir com o cofre dos regimentos sem reparti-lo com os soldados. — Quando vier o próximo "8 de setembro" — dizia um deles —, vamos ficar todos de olho. — E faziam planos e castelos no ar com as coisas que poderiam afanar no segundo "8 de setembro", com os milhões que poderiam fazer.

Assim era a vida deles: uma sequência de anos cinzentos como uma fila em marcha, com um "8 de setembro" a cada tanto, um sair da linha, um pega-pega, um foge-foge com as mochilas cheias de coisas do governo, para depois retornar à fila e aguardar um outro "8 de setembro" e repetir a brincadeira. O rapaz capturado estava estendido no catre fechado e incômodo, e as falas dos soldados eram poeiras que caíam sobre ele como as teias do teto.

Suas lembranças vagavam para outros homens, outras falas, falas de homens sentados ao redor de fogueiras, de homens com solas atadas com arame, com rasgões nas calças costurados com arame, com rostos híspidos de arame nas barbas, homens com instrumentos de ferro nas mãos: homens com *sten*, homens com *metralhadoras*, homens com *automáticas*. De vez em quando o nome de um daqueles homens ressoava nas falas dos soldados, com um tom de mistério, de lenda, de medo: apenas para ele aqueles nomes tinham um rosto, uma voz. Queria ter gritado na cara medrosa dos soldados: "Sim, eu conheço Lungo! E Bill! E Mingo! E o Mosquito! Conheço todos eles! Quinze dias atrás eu me sentava perto da fogueira ao lado de Mingo, com quem vocês sonham à noite! Dividia um cigarro com Strogoff, aquele que desceu aqui à cidade para libertar os prisioneiros e os aterrorizou por um mês inteiro! Eu comia bolinhos fritos com o Xerife, que já gastou as ranhuras do cano da pistola de tanto atirar em vocês! Na batalha de Baiardo eu levava as munições para Tempestade! Eu sou um deles!".

Queria ter gritado isso. Eu sou um deles. Mas então, se era um deles, o que fazia ali no meio? Com arranques violentos, a memória recompunha freneticamente cenas e sensações para despertar alguma coisa adormecida nele, forçá-lo a sair do torpor.

Embaixo, a estrada com uma fila de alemães subindo cautelosa, e as batidas do coração contra a coronha da metralhadora, esperando, e cada arbusto a brotar de olhos à espreita. Então um crepitar cerrado que dá a partida, uma poeira dourada que se ergue sobre a estrada, sobre os alemães que se jogam no chão, que se lançam para fora da estrada, comandos gritados pelas vozes roucas dos chefes de bando se cruzando com os xingamentos em alemão, com as vozes vênetas e lombardas dos *bersaglieri*, rajadas, *ta-pum*, granadas, *partigiani* esfarrapados que se alastram pela estrada e vão pegar o butim nos blindados escorrendo sangue.

De sentinela à noite, entrar um momento no alojamento e acender um cigarro na brasa apagada, atiçar o fogo para se aquecer enquanto os companheiros roncam sobre a palha e se coçam durante o sono: depois, do lado de fora, esperar uma estrela cadente para lhe confiar um pensamento, sempre o mesmo, enquanto ao longe, impiedosamente imóveis, rugem os canhões do front.

Ao fim da tarde, quando as luzes da caserna se acendiam e só os guardas ficavam nos dormitórios frios, o rapaz capturado pensava na névoa fria que sobe toda noite as montanhas, nos prisioneiros fascistas descalços, com um riso de medo em meio aos dentes, que queriam se mostrar úteis, descascar batatas, ir buscar água e lenha: venham conosco buscar lenha, venham ao bosque, na névoa, sigam em frente na névoa que amortecerá o disparo.

Outros homens, outras conversas nas montanhas, homens que caminham, jejuam, atiram, mas não por obrigação ou pagamento, ou por se divertirem com aquilo que fazem, homens que se tornaram cruéis à força de serem bons, homens que agora, de noite, cantavam ao redor do fogo das castanhas canções aprendidas na prisão, sérios como em hinos de igreja. E as falas dos velhos sobre a guerra de Espanha, sobre greves com disparos de soldados, falas de vidas clandestinas e de cadeia, falas de homens que sofrem a lei e querem refazê-la, não como cães acorrentados, não como ele agora.

E a memória tornava a sorver as recordações apenas postas, quase com medo, como se pudessem ser vistas pelos outros, pelos oficiais, traí-lo, denunciá-lo, o "rebelde". A caserna, enorme monumento da injustiça transformada em lei, pesava ainda sobre ele com suas escadas de pedra, suas portas descascadas, seus escritórios desolados, seus cavalos frisões, condenando aqueles imprudentes ímpetos da memória.

Os outros capturados nas razias também se tornavam cada vez mais indolentes e cinzentos, cheios de aceitação, de indiferença, e nos interrogatórios cada um tinha uma desculpa para a própria condição de desertor, uma margem de legalidade a que se agarrar: uma carteirinha da "Todt"* vencida, a aeronáutica que não tinha sido acionada, a convalescença da pleurite. Apenas ele continuava como despido em sua bruta condição de fora da lei, sentindo em torno de si a mornidão acolchoada da legalidade e os homens que se aqueciam nela, já satisfeitos.

A caserna o acorrentava na geometria dos corredores, das escadas, dos terraços; em breve até ele pensaria que, uma vez que o governo paga, é melhor ficar do lado do governo e evitar incômodos à família, que na "república" se está melhor que na "monarquia", porque não é preciso ficar em posição de sentido

(*) Organização nazista encarregada do recrutamento forçado de trabalhadores civis nos países ocupados. (N. T.)

diante dos oficiais, come-se à mesa e é possível vender os cobertores de quartel sem pagar taxas, em breve ele também riria das piadas obscenas do tenente de óculos, quando zombava do tropeiro da cara amarela.

Os *partigiani* evaporaram em sua memória como um mito, uma recordação de antigas eras do homem; titãs geradores de novas leis, tão longe dele quanto à noite as montanhas pareciam distantes da caserna, para além das vidraças quebradas das grandes janelas. O muro que separava a caserna do campo declinante em terraços marcava o limite entre duas categorias da alma. A paliçada que o coronel mandava erguer para prevenir os ataques dos rebeldes era um muro de ferro que se erguia em sua consciência.

Depois vieram os dias cheios de ânsia, em que serpenteavam rumores de transferência, de listas que alguém tinha visto na administração, de capturados que seriam mandados a Monza ou Treviso ou Bolzano. Ele sentia o círculo se estreitar ao seu redor, aproximar-se o dia em que seu instinto de preservação o forçaria a sair do torpor, lhe ditaria o momento mais propício à fuga.

Esperava passivamente, sentindo-se cada dia mais como a guimba no piso do dormitório, arrastada a golpes de vassoura. E as coisas da caserna se apresentavam a ele como margaridas a serem desfolhadas para descobrir um segredo, como horóscopos ambíguos sobre seu futuro, o cavalo frisão pelas escadas estava dentro dele, os objetos e os rostos se sucediam diante de seus olhos como capítulos de uma história que não se sabia onde nem como acabaria.

Depois vieram os dias tensos, em que parecia que a transferência era iminente e se diziam os nomes da primeira lista, e o dele não constava. Porque havia uma outra lista, a dos que partiriam quinze dias depois, e ele estava nesta. Assim o despertar da angústia se adiava, ainda havia tempo de esperar pela Grande Marcha que libertaria todos de hoje para amanhã, pelo Grande Bombardeio que mataria todos os habitantes da caserna, exceto ele, pela perna que quebraria por acaso e o manteria no hospital até o fim da guerra, pelo pai que talvez fosse libertado e poderia se proteger das represálias na companhia dos seus...

Na manhã da partida do primeiro grupo, três ou quatro faltaram à chamada, rapazes quietos, resignados, que nunca se imaginaria que escapariam. Os que ficaram, vigiados por algum veterano armado que lhes faria a escolta, sentavam-se de cabeça baixa no dormitório à espera do caminhão, um véu de lágrimas no fundo dos olhos e das vozes. Ele circulava em meio a eles; desguarnecidos dos panos, os catres eram presságios angustiosos e inquietantes.

Foi então que entrou o tenente de óculos, o rosto gordo e achatado, e lhe fez um sinal para que se aproximasse; na certa queria que ele varresse as escadas. Disse: — Vamos, rápido, prepare suas coisas, você também vai, a ordem partiu do comando.

Um véu de sangue nos olhos, e então tudo ficou espantosamente claro, como num mundo de espelhos: o tenente, as palavras que havia dito, os inúteis protestos dele, os companheiros resignados, o dormitório desolado, ele apanhando as coisas com as mãos trêmulas e as colocando na mochila, sua história, sua fraqueza, a tristeza de seu destino, cada coisa era aquilo que era, apenas ela, impiedosamente ela.

O mal dos símbolos tornou a assaltá-lo durante a viagem de caminhão, mas sem nenhum alívio. O caminhão era o mundo e a vida, com homens diversos, impiedosos uns com os outros, burgueses que falavam das coisas que fariam quando terminasse a guerra, comprariam um carro e não viajariam mais de caminhão, o tenente de óculos que ria, dizendo: — Se agora estourasse a paz! — com um tom de temor em seu sotaque ignorante de matuto.

O rapazote gordo de Oneglia, que a cada parada olhava ao redor farejando um jeito de escapar, era uma parte dele, de seu ânimo ainda cautelosamente desperto, o velho soldado vêneto que estava sempre atrás dele empunhando o fuzil (aquele verme se chamava Cecchetti) era também parte dele, sua vileza dominante. Os outros companheiros de infortúnio, carregados de uma resignação desolada, eram o peso de sua impotência. E em meio a todos eles, estúpido e feliz até no nome, a besta humana gorda e inconsciente, o tenente de óculos, Coronati, que brincava em capiau com os motoristas.

Depois a avaria no caminhão soou como um pressentimento. O último símbolo foi o hotelzinho onde pararam para almoçar, com limpas estampas inglesas na parede, uma atmosfera cloroformizada de sala operatória, um limbo onde as almas esperam pelo juízo.

Quando foram conduzidos ao pé do vilarejo vizinho e, como o caminhão demorava a ser reparado, se dispersaram um pouco para comprar o que comer nas lojas, o pesadelo cessou de repente: a estrada que levava aos campos era uma estrada que levava aos campos, o vêneto que se virou para trás para esperar os outros era o vêneto que se virou para trás, o rapaz gordo de Oneglia a quem ele perguntou "Vamos fugir?" e que respondeu "Vamos" era o rapaz gordo de Oneglia, a terra que corria sob seus passos era a terra que corria sob seus passos, a quina do muro que os separava da vista dos outros era uma quina de muro, a corrida pela colina foi uma bela, radiosa, ansiosa corrida pela colina.

A primeira frase que disse ao outro, agora apenas caminhando depressa por uma trilha que levava à montanha, foi: — Agora posso lhe dizer, eu sou um *partigiano*. — Eu também — respondeu o outro. — De que grupo você é? Qual o seu nome? — Trocaram seus nomes de batalha, os grupos em que estiveram, os companheiros conhecidos, as ações de que participaram.

Agora ele ia ao lado do outro pela colina, com o casaco militar desabotoado; contente, contente, ainda que pudessem recapturá-lo e fuzilá-lo a qualquer momento: a caserna cinzenta não existia mais para ele, submersa no fundo da consciência. A relva e o sol e eles que caminhavam com os casacos desabotoados em meio à relva e ao sol eram um símbolo novo, arejado e enorme, eram aquilo que com frequência, sem entender, os homens chamam de liberdade.

MEDO NA TRILHA

Às sete e quinze chegou ao alto de Colla Bracca junto com a lua, às oito já estava na bifurcação das duas árvores, mais meia hora e estaria na fonte. Avistaria San Faustino antes das dez, dez e meia em Perallo, Creppo à meia-noite, por volta de uma poderia estar na Vendetta in Castagna: dez horas de caminhada a passo normal, seis horas se tanto para ele, Binda, estafeta do primeiro batalhão, o estafeta mais veloz da brigada.

Andava forte, Binda, abandonando o corpo pelos atalhos abaixo, sem nunca se enganar nos desvios todos iguais, reconhecendo no escuro as pedras, os arbustos, enfrentando as subidas de peito, de peito firme e sem alterar o ritmo da respiração, o fôlego das pernas impulsionadas como por pistões. — Força, Binda! — lhe diziam os companheiros assim que o viam de longe, escalando em direção ao acampamento onde estavam. Tentavam ler em seu rosto as notícias, se as ordens que trazia eram boas ou ruins; mas o rosto de Binda era cerrado feito um punho, um rosto estreito de montanhês com o lábio peludo num corpo baixo e ossudo, mais de menino que de rapaz, com músculos como pedras.

A tarefa dele era dura e solitária, estar desperto todas as horas, mandado até Serpe, até Pelle, ter de marchar à noite no escuro dos vales, na companhia daquela arma francesa pendurada nos ombros, leve como uma espingarda de madeira, chegar a um destacamento e ter de partir de novo para um outro ou voltar com a resposta, acordar o cozinheiro e vasculhar nas marmitas frias, depois tornar a partir com uma lata de castanhas ainda na garganta. Mas também era sua tarefa natural, dele, que não se perdia nos bosques, que conhecia todos os caminhos, percorridos desde criança a pastorear cabras, indo buscar lenha ou feno, dele, que não torcia nem esfolava os pés subindo e descendo aquelas pedras como tantos *partigiani* vindos da cidade e do porto.

Um castanheiro de tronco oco, um líquen azul-celeste numa pedra, o terreiro nu de uma carvoaria, painéis de um cenário indistinto e uniforme se animavam nele, enraizados nas lembranças mais remotas: uma cabra fugitiva, uma marta desentocada, a saia erguida de uma garota. E a esses se somavam as recordações recentes, da guerra travada em sua região, continuidade de sua história: diversão, trabalho, caçadas que se tornaram guerra; cheiro de disparos na ponte de Loreto, resgates nos arbustos abaixo da encosta, campos minados e grávidos de morte.

A guerra se torcia em torno daqueles vales como um cão que quisesse morder a própria cauda; os *partigiani* cabeça a cabeça com os *bersaglieri* e os milicianos; se uns subiam a montanha, os outros desciam o vale, depois aqueles nos vales e os outros na montanha, sempre com grandes desvios nas cristas para não acabarem uns sob os outros, tornando-se alvos fáceis, sempre com alguém que acabava morto, na montanha ou no vale. O vilarejo de Binda ficava pelos campos abaixo, em San Faustino, três grupos de casas, um aqui e outro ali na valada, a janela de Regina com o lençol estendido nos dias de razia. O vilarejo de Binda era uma breve pausa entre a descida e a subida, uns goles de leite, a roupa limpa preparada por sua mãe; depois escapar depressa para não os ver chegar de todos os lados de repente, porque em San Faustino tinham morrido muitos *partigiani*.

O inverno era um jogo de perseguições e esconde-esconde; os *bersaglieri* em Baiardo, os milicianos nos Molini, os alemães em Briga: no meio, os *partigiani* apertados em dois cotovelos de vale, que se esquivavam das razias se deslocando de um ponto a outro na noite, através de postos disputados. Justo naquela noite uma coluna alemã marchava desde Briga, talvez já estivesse no Carmo, os milicianos se preparavam para subir dos Molini para dar reforço, os destacamentos dormiam enterrados na palha dos barracões, em torno das brasas semiapagadas; Binda marchava no escuro do bosque com a salvação deles confiada às suas pernas, e aquela ordem: "Evacuar imediatamente o vale; no alvorecer, todo o batalhão com o armamento pesado na crista do Pellegrino".

A ansiedade era um leve bater de asas de morcego nos pulmões de Binda, uma vontade de agarrar com as mãos a encosta que estava a dois quilômetros no breu sem perspectiva, de içar-se até lá, soprar a ordem como um hálito de vento na relva e senti-la deslizar para longe como através dos bigodes, subindo pelas narinas, chegando até Vendetta, Serpe, Guerriglia. Depois escavar um vão entre as folhas de castanheiro e afundar ali, ele e Regina, antes tirando os espinhos que feririam Regina, mas quanto mais se escava nas folhas mais espinhos se encontram, impossível abrir um espaço para Regina ali no meio, Regina da pele tão lisa e fina.

As folhas secas e os espinhos farfalhavam sob os pés de Binda, quase num chapinhar; os esquilos de olhos redondos e brilhantes corriam para se entocar na copa das árvores. — Força, Binda! — lhe dissera Fegato, o comandante, ao lhe dar a missão. O sono subia do coração da noite a lhe aveludar o interior das pálpebras; Binda gostaria de perder o caminho, perder-se num mar de folhas secas, nadar até ser afogado. — Força, Binda!

Binda agora caminhava na encosta alta de Tumena, ainda nevada, numa estreita pista marcada de passos. Tumena era o vale mais amplo daquelas regiões, com margens distantes e altíssimas; a margem oposta sumia no escuro, aquela em que marchava se perdia no declive alcantilado, entre os arbustos dos quais, de dia, se erguiam bandos farfalhantes de perdizes. Binda teve a impressão de ver uma luz distante, na baixa de Tumena, caminhando um pouco adiante. Fazia de vez em quando um zigue-zague como se tomasse uma curva, desaparecia, reaparecia dali a pouco numa direção inesperada. O que poderia ser àquela hora? Às vezes Binda achava que a luz estava bem mais distante, já na outra margem, às vezes parada, às vezes atrás dele. Podiam ser várias luzes diferentes, em marcha por todas as trilhas da Tumena baixa, talvez até atrás e à frente dele, na Tumena alta, que se acendiam e se apagavam. Os alemães!

Uma fera corria nas pegadas de Binda, despertada do fundo de regiões infantis, e o perseguia, logo o alcançaria: o medo. Aquelas luzes eram de alemães que vasculhavam Tumena, arbusto por arbusto, em batalhões. Uma coisa impossível: Binda sabia, até sentia que teria sido agradável acreditar naquilo, abandonar-se à sedução daquela fera infantil que o perseguia de perto. Na garganta, Binda sentia o tempo batendo seu tantã engolido. Agora era tarde para chegar antes dos alemães, para salvar os companheiros. Binda já via na Castagna o barracão de Vendetta queimado, os corpos dos companheiros sangrando, as cabeças de alguns penduradas nos galhos dos lariços pelos cabelos compridos. — Força, Binda!

Espantou-se com o lugar onde estava, parecia ter percorrido pouca estrada em muito tempo: talvez tivesse reduzido a marcha sem se dar conta, talvez tivesse parado. Mas não mudou de ritmo: sabia bem que seu passo era sempre igual e seguro, que não precisava confiar naquela fera que vinha visitá-lo nas missões noturnas, banhando-lhe as têmporas com seus dedos invisíveis, molhados de saliva. Era um rapaz firme, Binda, de nervos sólidos e sangue-frio em todas as ocasiões; conservava intacta toda sua determinação no agir, mesmo levando agora aquela fera sobre si, como um macaco agarrado ao pescoço.

O prado de Colla Bracca parecia mole sob a lua. "As minas!", pensou Binda. Não havia minas lá em cima, Binda sabia: as minas estavam longe, na outra vertente do Ceppo. Mas agora Binda pensava que as minas se movessem sob a terra, caminhando de uma parte a outra das montanhas, perseguindo seus passos como enormes aranhas subterrâneas. A terra sobre as minas produz estranhos fungos, ai de quem pisar neles: tudo explodiria num instante, mas os segundos se tornariam longos como séculos, e o mundo pareceria parar como encantado. Binda agora descia pelo bosque. O sono e o escuro punham máscaras tétricas nos troncos e nos arbustos. Havia alemães em toda parte, era verdade. Com certeza o tinham visto quando atravessava o prado de Colla Bracca sob a lua, o estavam perseguindo, o esperavam na passagem. Uma coruja piou pouco distante: era o assovio combinado dos alemães que se acercavam em torno dele, e logo um outro pio respondia, estava cercado! Um bicho se mexeu no fundo de um arbusto de urzes: uma lebre, talvez uma raposa, talvez um alemão deitado em meio à moita que o mantinha sob a mira. Havia um alemão para cada arbusto, um alemão empoleirado em cima de cada árvore, com os esquilos. Os caminhos de pedra pululavam de capacetes, fuzis se erguiam entre os ramos, as raízes das árvores terminavam em pés humanos. Binda marchava por uma dupla sebe de alemães à espreita, que o observavam com olhos faiscantes como folhas: quanto mais caminhava, mais se aprofundava no meio deles. Ao terceiro, quarto, ao sexto pio de coruja todos os alemães saltariam de pé em torno dele, as armas apontadas, o peito cruzado por cartucheiras de metralhadora.

Entre eles um, chamado Gund, com um terrível sorriso branco sob o capacete, avançaria as mãos enormes sobre ele para agarrá-lo. Binda temia se virar e encontrá-lo de repente, alto sobre seus ombros, metralhadora apontada, mãos abertas no ar. Ou talvez viesse a seu encontro na trilha, indicando-o com o dedo, ou o sentiria a um rolar de pedras se pondo a seu lado, caminhando com ele em silêncio.

Subitamente lhe veio a impressão de ter errado o caminho: no entanto reconhecia a trilha, as pedras, as árvores, o musgo. Mas eram pedras, árvores, musgo de um outro lugar, distante, de mil outros lugares diversos e distantes. Depois daquele degrau de pedras devia haver um precipício, não um matagal; superado aquele costão, uma moita de giestas, não de azevinhos; o riacho devia estar seco, não com água e rãs. Eram rãs de outro vale, rãs próximas dos alemães, na curva da trilha, era um ardil preparado pelos alemães de tocaia, que num instante o fazia cair nas mãos deles, diante do grande alemão que está no fundo de todos nós, chamado Gund, carregado de capacetes, bandoleiras, bocas de armas apontadas, que abre sobre todos nós as mãos enormes e jamais consegue nos agarrar.

Para expulsar Gund é preciso pensar em Regina, escavar para si um nicho com Regina, na neve, mas a neve está dura e congelada, não é possível se deitar sobre ela com Regina vestida com uma saia fina como a pele; nem sob os pinheiros se pode, a camada de agulhas não tem fim, o terriço embaixo é um formigueiro, e Gund já está sobre nós, abaixa a mão sobre nossa cabeça, nossa garganta, nosso peito, e continua abaixando: gritamos. É preciso pensar em Regina, a garota que há em todos nós e por quem todos gostaríamos de escavar um nicho no fundo do bosque.

Mas a perseguição entre Binda e Gund estava no fim: o acampamento de Vendetta estava a apenas quinze, vinte minutos. Binda corria, com o pensamento: mas seus passos continuavam pisando regulares, para não perder o fôlego. Ao alcançar os companheiros o medo sumiria, apagado do fundo da memória, tido por impossível. Era preciso pensar e acordar Vendetta e Sciabola, o comissário, explicar a eles a ordem de Fegato, depois tornar a partir para Gerbonte, avisar Serpe.

Mas algum dia chegaria ao barracão? Não estava amarrado a um fio que o arrastava para longe dele à medida que se aproximava? E ao chegar não escutaria *ausch-ausch* os alemães todos ao redor do fogo, comendo as castanhas que tinham sobrado? Binda já se imaginava alcançando o barracão meio incendiado e deserto. Entrava: vazio. Mas em um canto, imenso, sentado à turca com o capacete que tocava o teto, estava Gund, os olhos redondos e luminosos como os dos esquilos, o sorriso branco de dentes entre os lábios túrgidos. Gund lhe fazia um sinal: "Sente-se". E Binda se sentaria.

Pronto, a cem metros dele uma luz: eram eles! Eles quem? Teve vontade de voltar, de fugir, como se todo o perigo estivesse ali, no barracão de Pian Castagna. Mas continuava caminhan-

do depressa, o rosto duro e cerrado como um punho. Ora o fogo parecia se aproximar rápido demais — vinha ao encontro dele? —, ora se afastar: fugia? Mas estava parado, era o fogo ainda vivo do acampamento, Binda sabia.
— Quem vem lá? — Não estremeceu. — Binda — respondeu. — Sentinela. Aqui é Civetta. Novidades, Binda? — Vendetta está dormindo? — Agora já estava no barracão, rodeado pela respiração dos companheiros que dormiam. Companheiros, claro: e quem mais poderia ser senão eles?
— Alemães embaixo, em Briga; fascistas no alto, em Molini. Evacuar. No alvorecer, todos na crista do Pellegrino com o armamento pesado. — Vendetta, ainda acordando, piscava um pouco as pálpebras. — Santo Cristo — disse. Então se levantou e bateu as mãos: — Acordem todos, que a coisa vai esquentar.

Binda agora metia a colher numa lata de castanhas cozidas, cuspindo as películas que ficaram grudadas. Os homens se dividiam em turnos para carregar as munições, os tripés das armas pesadas. Encaminhou-se. — Vou avisar Serpe, em Gerbonte — falou. — Força, Binda — lhe disseram os companheiros.

Ele já dobrava o esporão do rochedo, tinha perdido o barracão de vista, deixava às suas costas o precipício negro de arbustos. Gund se ergueu dos arbustos e retomou a marcha atrás dele, com seus passos de gigante.

A FOME EM BÉVERA

Em 1944 a linha de frente parou ali, como em 1940, só que desta vez a guerra não acabava, e não havia modo de ela se deslocar. As pessoas não queriam fazer como em 1940, ou seja, carregar uns trapos e as galinhas numa carroça e partir, com a mula à frente e a cabra atrás. Em 1940, quando voltaram, encontraram todas as gavetas reviradas no chão e fezes humanas nas caçarolas: porque se sabe que os soldados italianos, quando podem produzir danos, não poupam amigos nem inimigos. Assim permaneceram, com os canhonaços franceses que chegavam dia e noite atingindo as casas, e os dos alemães, que passavam assoviando sobre as cabeças.

— Mais cedo ou mais tarde vão se decidir a avançar — diziam, e continuavam repetindo isso para si mesmos de setembro a abril. — Um dia esses benditos aliados farão alguma coisa.

O vale Bévera estava cheio de gente, lavradores e também refugiados vindos de Ventimiglia, e não havia o que comer; não havia provisão de víveres, e era preciso buscar a farinha na cidade. Para ir à cidade só existia a estrada varrida pelos canhonaços noite e dia.

Agora se vivia mais nos buracos que nas casas, e um dia os homens do povoado se reuniram numa cova grande para decidir.

— Aqui — disse o do comitê — precisamos montar turnos de quem deve descer para pegar pão em Ventimiglia.

— Muito bem — disse outro —, assim seremos despedaçados um a um no caminho.

— Ou se não os alemães nos capturam um a um e nos despacham para a Alemanha — disse um terceiro.

Um outro interveio: — Os animais. Quem vai ceder o animal de carga? Quem ainda tem um não arrisca. É provável que, se alguém descer, não volte nem ele, nem o animal, nem o pão. Os animais já tinham sido confiscados, e quem salvara algum o mantinha escondido.

— Resumindo — disse o do comitê —, se aqui não temos pão, como vamos sobreviver? Há alguém que se anime a ir até Ventimiglia com uma mula? Sou procurado lá embaixo, senão eu iria.

Olhou ao redor: os homens estavam sentados no chão da cova, os olhos sem expressão, e encavavam o tufo com os dedos.

Então o velho Bisma, que estava no fundo e olhava de boca aberta sem entender nada, se levantou e saiu da cova. Os outros acharam que queria ir urinar, porque era velho e de vez em quando tinha necessidade.

— Cuidado, Bisma — gritaram atrás dele —, mije abrigado.

Mas ele não se virou.

— Para ele é como se não bombardeassem — disse um.

— É surdo e não se dá conta.

Bisma tinha mais de oitenta anos e uma coluna que parecia cada vez mais dobrada sob uma carga de gravetos: todos os gravetos carregados durante a vida, dos bosques até o estábulo. Era chamado de Bisma por causa dos bigodes, os quais se dizia que, em seus tempos, pareciam os de Bismarck; agora era um par de bigodes brancos, ensebados e pendentes, que pareciam prestes a cair no chão a qualquer momento, como todas as partes de seu corpo. Mas, ao contrário, nada caía, e Bisma ia arrastando os pés para a frente e balançando a cabeça, com o olhar sem expressão e um tanto desconfiado dos surdos.

Reapareceu na abertura da cova.

— Iiih! — fez.

Então os outros viram que arrastava a mula atrás de si, e que ela já vinha com a cangalha. A mula de Bisma parecia mais velha que o dono, com o pescoço achatado que nem uma tábua e vergado até o chão, e uma cautela ao se mover como se os ossos salientes estivessem prestes a lhe romper o couro e saltar para fora das chagas pretas de moscas.

— Aonde vai levar a mula, Bisma? — perguntaram.

Ele balançava a cabeça de boca aberta. Não escutava.

— Os sacos — disse —, me deem os sacos.

— Ei — fizeram —, aonde vocês pensam que vão chegar, você e esse pangaré?

—· Quantos quilos? — ele perguntava. — Hein, quantos quilos?

Deram-lhe os sacos, explicaram com os dedos o número de quilos, e ele partiu. A cada assovio de granada, os homens olhavam a estrada da soleira da cova e aquela torta figura que se afastava: a mula e o homem montado na cangalha que pareciam sempre vacilar e a ponto de cair, os dois. Os canhonaços atingiam a estrada adiante, levantando uma poeira espessa, e arrasavam o caminho à frente dos cautelosos passos da mula, ou atrás deles: e Bisma nem sequer se virava. Os homens prendiam a respiração a cada disparo, a cada sibilo. — Esse o derruba — diziam. Após um tiro, sumiu por completo, envolvido na poeira. Os homens ficaram calados. Agora, baixada a poeira, veriam a estrada nua e nem sequer seus restos. No entanto ressurgiram como fantasmas, o homem e a mula, e continuaram caminhando, lentos, lentos. Depois dobraram a última curva, e não se podia mais acompanhá-los. — Não vai conseguir — os homens disseram, e viraram as costas.

Mas Bisma continuava cavalgando pela trilha pedregosa. A velha mula avançava os cascos incertos sobre o caminho acidentado pelas rochas e pelos desmoronamentos recentes; o couro se esticava pela assadura das chagas sob a cangalha. As explosões não a assustavam: tinha penado tanto na vida que nada mais poderia impressioná-la. Marchava de focinho baixo, e seu olhar, limitado pelos antolhos negros, fazia observações belíssimas: caramujos com as cascas rompidas pelos disparos que perdiam uma baba irisada sobre as pedras, formigueiros desventrados com fugas brancas e negras de formigas e ovos, matos arrancados que erguiam estranhas raízes barbudas como as de árvores.

E o homem montado na cangalha tentava se manter reto sobre as nádegas magras, enquanto seus pobres ossos trepidavam todos às asperezas da estrada. Mas ele tinha crescido na companhia de suas mulas, e suas ideias eram poucas e resignadas como as delas: o pão de sua vida sempre se encontrara para além de um caminho muito cansativo, o pão para si e também o pão para os outros, hoje o pão para toda Bévera. O mundo, este mundo silencioso que o circundava, agora parecia tentar se comunicar com ele também, em confusos estrondos que chegavam a seus tímpanos dormentes, com estranhos abalos da terra. Enquanto andava, Bisma via encostas desabarem, nuvens subirem dos campos e voos de pedras, lampejos vermelhos surgirem e desaparecerem nas colinas; o mundo queria mudar sua antiga face e mostrar o avesso das coisas, das plantas, da terra. E o silêncio, o terrível silêncio de sua velhice, ia se encrespando com aqueles estrondos distantes.

A estrada em frente aos pés da mula esguichou enormes centelhas, as narinas e a garganta se encheram de terra, uma chuva de cascalho atingiu o homem e a mula de raspão, enquanto os ramos de uma grande oliveira rodopiaram pelo ar acima de sua cabeça: apesar disso, se a mula não caísse, ele não cairia. E a mula resistiu, os cascos enraizados na terra crestada, os joelhos quase a arrebentar. Depois se moveu aos poucos, ainda no meio da poeira, e seguiu adiante.

De noite, lá em Bévera, alguém gritou: — Vejam! É Bisma que está voltando! Ele conseguiu!

Então os homens, as mulheres e as crianças saíram das casas e das covas e viram na última curva a mula que vinha à frente, ainda mais torta sob os sacos, e Bisma atrás, a pé, agarrado à cauda que não se sabia se o puxava ou se era ele que empurrava.

Toda a gente do vale fez grandes festas para Bisma, que voltava com o pão. Fizeram a distribuição na grande cova, os moradores passavam em fila um a um, e o homem do comitê dava um pão para cada. Ali perto Bisma mordiscava o seu com os poucos dentes e olhava os rostos de todos.

Assim Bisma foi a Ventimiglia também no dia seguinte. Não havia nenhum outro animal que não despertasse a gula dos alemães. E todo dia continuou descendo e trazendo o pão, e todo dia escapava, passando incólume pelas bombas: diziam até que tinham feito um pacto com o demônio.

Depois os alemães abandonaram a margem direita do Bévera, explodiram duas pontes e um trecho de estrada e instalaram minas. Em quarenta e oito horas os moradores deviam desocupar o vilarejo e a zona. Desocuparam o vilarejo, mas a zona não: tornaram a se entocar nos buracos. Mas estavam isolados, presos entre duas frentes e sem fontes de provisão. Era a fome.

Quando se soube que o vilarejo tinha sido evacuado, os brigadas-negras subiram. Cantavam. Um deles tinha uma cumbuca com tinta e um pincel. Escreveu nos muros: NÃO PASSARÃO, NÓS CONTINUAREMOS FIRMES, O EIXO NÃO CEDE.

Enquanto isso, circulavam pelas estradinhas, metralhadora a tiracolo, e espiavam dentro das casas. Começaram a forçar algumas portas com os ombros. Nisso apareceu Bisma sobre a mula. Surgiu no alto de uma estrada em descida e avançava entre duas filas de casas.

— Ei, aonde você vai? — perguntaram os brigadas-negras.

Parecia que ele nem os enxergava, a mula continuava avançando a passos tortos.

— Ei, estamos falando com você! — O velho macilento e impassível, montado naquele esqueleto de mula, parecia um espírito saído das pedras do vilarejo desabitado e semidestruído.

— Ele é surdo — disseram.

O velho começou a olhá-los, um por um. Os brigadas-negras viraram numa ruela e chegaram a uma pracinha: ouvia-se apenas o correr da água na fonte e, ao longe, o canhão.

— Acho que tem coisa boa naquela casa — disse um brigada-negra, apontando para ela. Era um rapazinho com uma mancha vermelha sob o olho. O eco entre as casas da praça vazia repetiu suas palavras uma a uma. O rapazinho fez um gesto nervoso. O outro com o pincel escreveu num muro em ruínas: HONRA E COMBATE. Uma janela que ficara aberta batia, fazendo mais barulho que o canhão.

— Deixem que eu faço — disse o da mancha vermelha a dois que forçavam uma porta. Apoiou a boca da metralhadora na fechadura e disparou uma rajada. Toda queimada, a fechadura cedeu. Então Bisma tornou a aparecer, vindo da direção oposta àquela onde o haviam deixado. Parecia passear para cima e para baixo no vilarejo, montado naquela ruína de mula.

— Vamos esperar que ele passe — disse um brigada-negra, e se postaram diante da porta com ar indiferente.

ROMA OU MORTE, escreveu o do pincel.

A mula atravessava a praça devagar; cada passo parecia ser o último. O homem em cima dela dava a impressão de estar prestes a dormir.

— Vão embora — gritou o rapazinho com a mancha. — O vilarejo foi evacuado.

Bisma não se virou; parecia concentrado em conduzir a mula por aquela praça vazia.

— Se o encontrarmos mais uma vez — insistiu o outro —, vamos atirar.

VENCEREMOS, escreveu o do pincel.

De Bisma se via apenas as costas decrépitas, em cima das pernas pretas da mula quase parada.

— Vamos para lá — decidiram os brigadas-negras, e passaram por baixo de uma arcada.

— Avante! Não vamos perder tempo. Podemos começar por esta casa.

Abriram a porta, e o da mancha entrou primeiro. A casa estava vazia e cheia de ecos. Circularam pelos cômodos e depois saíram.

— Estou com vontade de tocar fogo no vilarejo, olha isso — disse o manchado.

VAMOS SEGUIR EM FRENTE, escreveu o outro.

Bisma reapareceu ao fundo da estradinha. Avançava na direção deles.

— Não faça isso — disseram os brigadas-negras ao manchado, que apontava a arma.

DUCE, escreveu o outro.

Mas o manchado já tinha disparado a rajada. Foram ceifados juntos, homem e mula, mas continuaram de pé.

Como se a mula tivesse caído sobre as quatro patas e fosse uma coisa inteiriça, com aquelas pernas negras e tortas. Os brigadas-negras ficaram ali, olhando; o manchado soltara a metralhadora na correia e batia os dentes. Então se inclinaram juntos, homem e mula; pareceu que dariam mais um passo, mas tombaram um sobre o outro.

Os do vilarejo vieram à noite buscá-los. Bisma foi enterrado; a mula, eles comeram cozida. Era carne dura, mas estavam com fome.

LEVADO AO COMANDO

O bosque estava ralo, quase destruído pelos incêndios, cinzento nos troncos queimados, avermelhado nas agulhas secas dos pinheiros. O homem armado e o homem sem armas vinham por ele em zigue-zague, entre as árvores, descendo.
— Ao comando — dizia o armado. — Estamos indo ao comando. Meia hora de caminhada, se tanto.
— E depois?
— Depois o quê?
— Pergunto se depois me deixarão partir — fez o homem desarmado; a cada resposta ele apurava os ouvidos, sílaba a sílaba, como se buscasse uma nota falsa.
— Claro que o deixarão partir — disse o armado. — Eu entrego o documento ao batalhão, eles marcam no registro e aí o senhor pode voltar para casa.
O desarmado balançava a cabeça, com ar pessimista.
— Ah, é coisa demorada, compreendo... — dizia, talvez só para ouvir de novo:
— Vão deixá-lo partir logo, estou dizendo.
— Eu esperava — acrescentou —, eu esperava estar em casa esta noite. Paciência.
— Estou dizendo que vai ser rápido — respondeu o armado. — É o tempo de eles redigirem o depoimento, e pronto. Eles só precisam cancelar seu nome da lista dos traidores.
— Vocês têm um registro dos traidores?

— Claro que temos. Temos os nomes de todos os delatores. E os prendemos um a um.
— E meu nome está nesse registro?
— Pois é. Também estava. Agora é preciso apagá-lo, do contrário podem prendê-lo de novo.
— Então eu preciso mesmo ir até lá, para explicar toda a história.
— Por isso estamos indo. É preciso que eles vejam, que verifiquem.
— Mas agora — disse o homem sem armas —, agora já sabem que sou um deles, que nunca me meti a espionar.
—Justamente. Agora sabemos. Agora já pode ficar tranquilo.
O desarmado concordava e olhava ao redor. Estavam numa grande clareira, cheia de galhos caídos, com pinheiros e abetos magros, mortos pelos incêndios. Eles se afastavam, retomavam e perdiam de novo a trilha, andavam como a esmo pelos raros pinheiros, atravessando o bosque. O desarmado não reconhecia os lugares, a noite subia com lâminas finas de neblina, embaixo o bosque se adensava no escuro.

Afastar-se da trilha o deixava inquieto; tentou — visto que o outro parecia caminhar ao acaso —, tentou dobrar à direita, onde talvez a trilha prosseguisse; o outro também dobrou à direita, como por acaso. Se ele continuava a segui-lo, tornava a tomar a esquerda ou a direita, conforme o traçado do caminho.

Enfim, decidiu perguntar: — Mas onde está o comando?
— Estamos chegando — respondeu o armado. — Não vai demorar.
— Mas em que local, em que região, mais ou menos?
— Como é possível dizer? — respondeu. — Não se pode dizer que o comando esteja em um local, em uma região. O comando está onde está o comando. O senhor sabe.

Sabia; era um homem que sabia das coisas, o desarmado. Mesmo assim insistiu: — Mas não há uma estrada até lá?
O outro respondeu: — Uma estrada. O senhor sabe. Uma estrada sempre leva a algum lugar. Ao comando não se vai por estradas. O senhor sabe.

O desarmado sabia, era um homem que sabia das coisas, um homem astuto.

Perguntou: — O senhor vai sempre ao comando?

— Sempre — disse o armado. — Vou sempre.

Tinha um rosto triste, sem olhar. Conhecia pouco o local, de vez em quando parecia perdido, e mesmo assim continuava caminhando, como se não se importasse.

— É porque está de plantão hoje que o mandaram me escoltar? — perguntou o desarmado, estudando o outro.

— Escoltá-lo é um trabalho que cabe a mim — disse. — Sou eu quem acompanha as pessoas ao comando.

— O senhor é um estafeta?

— Sim — respondeu o armado —, um estafeta.

"Um estranho estafeta", pensava o desarmado, "que não conhece os lugares. Mas hoje", pensava, "ele não quer ir pela estrada para que eu não saiba onde fica o comando, porque não confiam em mim." Mau sinal, se ainda não confiavam nele; o desarmado se obstinava nesse pensamento. Mas havia uma segurança nesse mau sinal: que de fato o estivessem levando ao comando e pretendessem liberá-lo; mas para além desse mau sinal havia um sinal pior ainda: havia o bosque cada vez mais denso e sem perspectivas de saída, havia o silêncio, a tristeza daquele homem armado.

— Foi o senhor que escoltou o secretário ao comando? E os irmãos do moinho? E a professora? — fez a pergunta de um jato, sem pensar, porque era a pergunta decisiva, que significava tudo: o secretário da prefeitura, os irmãos, a professora, todos foram levados e nunca mais se soube deles, nunca mais voltaram.

— O secretário era um fascista — disse o armado —, os irmãos faziam parte da milícia, a professora colaborava.

— Falei só para saber, já que eles não voltaram mais.

— Estou falando — insistiu o armado. — Eles eram o que eram. O senhor é o que é. Não há comparações.

— Claro — fez o outro —, não há comparações. Eu só queria saber o que aconteceu com eles, assim, por curiosidade.

O desarmado se sentia seguro de si, enormemente seguro. Era o homem mais astuto da cidade, era difícil pegá-lo. Os outros, o secretário e a professora não tinham voltado: ele voltaria. "Eu grande *kamarad*", diria ao comandante. "Partisan nada kaputt me. Eu kaputt todos partisans." Talvez o comandante se pusesse a rir.

Mas o bosque queimado era interminável, e os pensamentos do homem estavam envoltos em obscuridade e incerteza, como zonas de clareira em meio a um bosque.

— Não sei bem do secretário nem dos outros. Sou apenas o estafeta.

— Mas no comando devem saber — insistia o desarmado.

— Isso. Pergunte ao comando. Lá eles saberão.

Caía a noite. Era preciso caminhar com cuidado entre o matagal, prestando atenção onde pôr os pés para não escorregar em pedras ocultas sob os arbustos densos. E cuidar onde se punham os pensamentos no denso da inquietude, um atrás do outro, para não se ver de repente enterrado no medo.

Claro, se achassem que era um traidor não o teriam deixado assim, no bosque, sozinho com aquele homem que parecia nem se importar com ele; teria podido escapar quantas vezes quisesse. Se tentasse fugir, o que o outro faria?

Descendo por entre as árvores, o desarmado começou a tomar uma certa distância, dobrando à direita quando o outro tomava a esquerda. Mas o armado continuava caminhando quase sem se importar, e ambos desciam assim pelo bosque ralo, já distantes um do outro. Às vezes até se perdiam de vista, ocultados por troncos, por galhos de arbustos, mas regularmente o desarmado tornava a ver o outro em cima de si, com um ar de quem não se importava, mas sempre atrás, à distância.

"Se me deixam livre um instante, não me pegam nunca mais", pensara até então o desarmado. Mas agora se surpreendeu ao pensar: "Se eu conseguir escapar dele, aí não me pegam...". E já imaginava os alemães, filas de alemães, alemães em caminhões e tanques, visão de morte para os outros, de segurança para ele, homem astuto, homem que ninguém podia pegar.

LEVADO AO COMANDO ■

Tinham saído das clareiras e dos matagais e entrado no bosque denso e verde, poupado pelos incêndios: o chão estava coberto de agulhas secas de pinho. O homem armado ficara para trás, talvez tivesse tomado outro caminho. Então o desarmado, cauteloso, com a língua entre os dentes, apressou o passo, embrenhou-se mais fundo no bosque, metendo-se pelos despenhadeiros, entre as árvores. Estava escapando, se deu conta disso. Então teve medo; mas compreendeu que já estava longe demais, que o outro com certeza percebera a tentativa de fuga e decerto o estava perseguindo: só restava continuar correndo, e ai dele se caísse de novo sob a mira do outro, agora que tentara fugir.

Virou-se ao ouvir um barulho de pés sobre si: a poucos metros estava o homem armado, que vinha com seu passo calmo, indiferente. Trazia a arma na mão. Disse: — Por aqui deve haver um atalho — e lhe fez sinal para que seguisse na frente.

Então tudo se recompôs: um mundo ambíguo, todo mau ou todo bom; o bosque que, em vez de terminar, se adensava; aquele homem que quase o deixava escapar sem dizer nada.

Perguntou: — Mas este bosque não acaba nunca?

— Assim que virarmos a colina chegaremos — disse o outro. — Coragem, esta noite o senhor passará em casa.

— Assim, simplesmente me deixarão voltar para casa? Quero dizer, não vão querer me fazer refém, por exemplo?

— Não somos que nem os alemães, não ficamos com reféns. No máximo podem querer ficar com suas botinas de reféns, porque estamos todos meio descalços.

O homem começou a reclamar como se suas botinas fossem a coisa mais preciosa do mundo, mas no fundo se alegrava com isso: cada detalhe de sua sorte, para o bem ou para o mal, servia para lhe dar um pouco de conforto.

— Escute — disse o armado —, já que o senhor quer tanto ficar com elas, vamos fazer assim: coloque meus sapatos até chegarmos ao comando, porque os meus estão aos pedaços e não vão querer ficar com eles. Eu coloco os seus e, quando o acompanhar de volta, lhe devolvo.

Agora até uma criança entenderia que era tudo balela. O homem armado queria seus sapatos, pois bem, o desarmado lhe daria tudo o que ele quisesse, era um homem que sabia das coisas e estava contente de se safar por aquela ninharia. "Eu grande *kamarad*", teria dito ao comandante, "eu dar a eles sapatos e eles me deixar ir." Talvez o comandante lhe desse um par de botas como as dos soldados alemães.

— Então vocês não ficam com ninguém: reféns, prisioneiros? Nem o secretário da prefeitura e os outros?

— O secretário tinha delatado três companheiros nossos; os irmãos participavam das varreduras com as milícias; a professora ia para a cama com os da Décima.

O homem desarmado parou. Disse: — Vocês não acham que eu também sou um traidor, acham? Não me trouxeram aqui para me matar — e descobriu um pouco os dentes, como num sorriso.

— Se a gente achasse que é um traidor — disse o armado —, eu não faria isso. — Tirou a trava da arma. — E isso. — Apontou-a para o ombro e fez menção de atirar.

"Ora", pensava o traidor, "ele não atira."

Mas o outro não baixava a arma, ao contrário, apertava o gatilho.

"Tiros de festim, de festim", teve tempo de pensar o traidor. E, quando sentiu sobre si os disparos como socos de fogo que não paravam mais, conseguiu ainda pensar: "Acha que me matou, mas estou vivo".

Caiu com a cara no chão e a última coisa que viu foi um par de pés calçados com suas botinas, passando sobre ele.

Assim ficou, cadáver no fundo do bosque, com a boca cheia de agulhas de pinho. Duas horas depois já estava preto de formigas.

POR ÚLTIMO VEM O CORVO

A correnteza era uma rede de encrespaduras leves e transparentes, com a água que fluía no meio. De vez em quando havia como um bater de asas de prata na flor da água: o lampejo do dorso de uma truta que logo tornava a afundar em zigue-zague.

— Está cheio de trutas — disse um dos homens.

— Se a gente jogar uma bomba aí dentro, todas vão boiar de barriga para cima — disse o outro; tirou uma granada da cintura e começou a desatarraxar a base.

Então um rapaz que estava ali olhando se aproximou, um rapazote da montanha, com cara de maçã. — Me dá — disse, e pegou a espingarda de um daqueles homens. — O que esse aí quer? — disse o homem, querendo tirar a espingarda dele. Mas o rapaz apontava a arma para a água, como se procurasse um alvo. "Se atirar na água vai assustar os peixes, só isso", o homem queria dizer, mas nem chegou a terminar. Uma truta tinha vindo à tona num salto, e o rapaz acertou um tiro em cheio, como se a esperasse bem ali. Agora a truta boiava com a barriga branca.

— Caramba — disseram os homens.

O rapaz recarregou a arma e a moveu ao redor. O ar estava terso e tenso: viam-se as agulhas dos pinheiros na outra margem e a rede d'água da correnteza. Uma encrespadura chispeou na superfície: outra truta. Disparou: agora ela boiava morta. Os homens olhavam ora a truta, ora o rapaz. — Esse atira bem — disseram.

O rapaz ainda movia a boca da espingarda no ar. Pensando bem, era estranho estar assim cercado de ar, separado das outras coisas por metros de ar. No entanto, se apontava a espingarda, o ar era uma linha reta e invisível, estendida da boca da arma até a coisa, até o falcão que se movia no céu de asas abertas que pareciam paradas. Ao apertar o gatilho, o ar continuava como antes, transparente e vazio, mas lá no alto, na outra ponta da linha, o falcão fechava as asas e caía feito uma pedra. Do obturador aberto saía um cheiro bom de pólvora.

Pegou outros cartuchos. Agora eram muitos os que o observavam, atrás dele, à beira do riacho. As pinhas em cima das árvores na outra margem: por que era possível vê-las, mas não tocá-las? Por que aquela distância vazia entre ele e as coisas? Por que as pinhas que formavam uma coisa com ele, em seus olhos, no entanto estavam lá, distantes? Porém, se ele apontava a espingarda, ficava claro que a distância vazia era um truque; ele apertava o gatilho e no mesmo instante a pinha caía, cortada no talo. Era uma sensação de vazio como uma carícia: aquele vazio do cano da espingarda que continuava através do ar e se enchia com o disparo, até lá na pinha, no esquilo, na pedra branca, na flor de papoula. — Esse não erra uma — diziam os homens, e ninguém tinha coragem de contestar.

— Você vem com a gente — disse o chefe.

— E vocês me dão a espingarda — respondeu o rapaz.

— Bem, é óbvio.

Foi com eles.

Partiu com um alforje cheio de maçãs e duas formas de queijo. O vilarejo era uma mancha de ardósia, palha e esterco de vaca no fundo do vale. Ir embora era bom porque a cada curva se avistavam coisas novas, árvores com pinhas, pássaros que voavam dos galhos, líquens nas pedras, tudo coisas no raio das distâncias falsas, das distâncias que o disparo preenchia engolindo o ar que ficava no meio.

Mas não podia atirar, lhe disseram: eram locais que deviam

atravessar em silêncio, e os cartuchos eram para a guerra. No entanto, a certa altura uma lebre assustada pelos passos cruzou a trilha em meio aos gritos e gestos dos homens. Já estava sumindo nos arbustos quando parou com um disparo do rapaz.

— Belo tiro — até o chefe reconheceu —, mas aqui não estamos numa caçada. Mesmo que você veja um faisão, não deve mais atirar.

Não passara nem uma hora, e na fila se ouviram outros disparos. — É o rapaz de novo! — fez o chefe, furioso, e foi até ele. O rapaz ria com sua cara branca e vermelha como uma maçã. — Perdizes — disse, mostrando-as. Tinham voado de uma cerca viva.

— Perdizes ou grilos, eu já lhe disse. Me dê a espingarda. E se me tirar do sério de novo, mando você de volta para o vilarejo.

O rapaz fez uma cara amuada; não tinha graça caminhar desarmado, mas, enquanto estivesse com eles, podia ter esperança de reaver a arma.

À noite dormiram numa cabana de pastores. O rapaz acordou assim que o céu começou a clarear, enquanto os outros dormiam. Pegou a espingarda mais bonita, encheu o alforje de cartuchos e saiu. Havia um ar tímido e terso, próprio da madrugada. Não muito longe da cabana havia um pé de amora. Era a hora em que os gaios chegavam. Lá estava um: atirou, correu para pegá-lo e o meteu no alforje. Sem se mover do ponto onde o apanhara, procurou outro alvo: um arganaz! Assustado com o tiro, corria para se entocar no alto de um castanheiro. Uma vez morto, viu-se que era uma ratazana de cauda cinzenta que soltava pelos ao ser tocada. De baixo do castanheiro, avistou em um prado mais abaixo um cogumelo vermelho com pontinhos brancos, venenoso. O estraçalhou com um disparo e depois foi conferir se o tinha acertado mesmo. Era uma bela diversão caminhar assim, de um alvo a outro: talvez fosse possível dar a volta ao mundo. Viu um grande caramujo numa pedra, mirou a casca e, ao chegar ao local, só viu a pedra lascada com um pouco de baba irisada. Assim se afastou da cabana, descendo por prados desconhecidos.

Da pedra viu uma lagartixa num muro; do muro, uma poça e uma rã; da poça, uma placa na estrada, alvo fácil. Da placa se via a estrada que fazia zigue-zague e mais abaixo: mais abaixo havia homens fardados que avançavam com armas em punho. Ao verem o rapaz de espingarda, sorrindo com aquela cara branca e vermelha de maçã, gritaram e apontaram as armas para ele. Mas o rapaz já tinha visto uns botões dourados no uniforme de um deles e atirado, mirando um dos botões.

Ouviu o grito do homem e o som dos disparos, em rajadas ou isolados, que assoviavam sobre sua cabeça: já estava estendido no chão, atrás de um amontoado de pedras na beira da estrada, num ponto cego. Podia até se mexer, porque o monte era comprido, e aparecer numa parte inesperada, ver os lampejos nas bocas das armas dos soldados, o cinzento e lustroso de suas fardas, atirar em um galão, em um distintivo. Depois rastejar rápido para o outro lado e abrir fogo. Depois de um tempo ouviu rajadas às suas costas, mas que passavam por cima dele e atingiam os soldados: eram os companheiros que chegavam de reforço com as metralhadoras. — Se o rapaz não nos acordasse com os disparos — diziam.

Coberto pelos tiros dos companheiros, o rapaz podia mirar melhor. De repente um projétil lhe roçou uma bochecha. Ele se virou: um soldado havia alcançado a estrada acima dele. Jogou-se numa valeta, para abrigar-se, e abriu fogo acertando não o soldado, mas o fuzil, de raspão, na câmara. Sentiu que o soldado não conseguia recarregar o fuzil e o jogava no chão. Então o rapaz saiu do esconderijo e atirou no soldado que corria: arrancou uma de suas ombreiras.

Então o perseguiu. O soldado ora desaparecia no bosque, ora reaparecia atirando. Ele acertou o cocuruto de seu capacete, depois uma fivela de cinto. Enquanto se perseguiam, chegaram a um vale desconhecido, onde não se ouvia mais o rumor da batalha. A certo ponto o soldado não viu mais bosque diante de si, mas uma clareira, com barrancos cerrados de arbustos ao redor. Mas o rapaz já estava para sair do bosque: no centro da clareira havia uma grande pedra; o soldado só teve tempo de encolher atrás dela, agachado com a cabeça entre os joelhos.

Por ora se sentia seguro ali: tinha umas granadas consigo, e o rapaz não podia se aproximar muito, apenas mantê-lo sob a mira da espingarda, para que não escapasse. Claro, se pudesse alcançar com um salto os arbustos estaria seguro, deslizando pela encosta íngreme. Mas havia aquele trecho desprotegido para atravessar: até quando o rapaz ficaria ali? E nunca deixaria de apontar a arma? O soldado resolveu fazer um teste: pôs o capacete na ponta da baioneta e o fez despontar para fora da pedra. Um disparo, e o capacete rolou no chão, perfurado.

O soldado não se abateu: claro, mirar ao redor da pedra era fácil, mas se ele se movesse rapidamente seria impossível atingi-lo. Nisso um pássaro atravessou o céu veloz, talvez uma poupa. Um disparo e ele caiu. O soldado enxugou o suor do pescoço. Passou outro pássaro, uma tordoveia: caiu esse também. O soldado engolia seco. Aquele devia ser um posto de passagem: os pássaros continuavam a voar, todos diferentes, e o rapaz a atirar e a derrubá-los. O soldado teve uma ideia: "Se ele está atento aos pássaros, não está prestando atenção a mim. Assim que atirar, eu me jogo". Mas antes talvez fosse melhor fazer um teste. Pegou de volta o capacete e o manteve pronto, na ponta da baioneta. Dessa vez passaram dois pássaros juntos: narcejas. O soldado lamentava desperdiçar uma ocasião tão boa para o teste, mas ainda não queria se arriscar. O rapaz atirou numa narceja, então o soldado expôs o capacete, sentiu o disparo e viu o capacete voando no ar. Agora o soldado sentia um gosto de chumbo na boca; mal percebeu que o outro pássaro também caiu a um novo disparo.

Entretanto, ele não devia fazer gestos precipitados: estava seguro atrás daquele rochedo, com suas bombas de mão. E por que não tentava alcançar o rapaz com uma delas, mesmo estando escondido? Deitou-se de costas no chão, alongou o braço direito atrás de si tentando não se descobrir, reuniu todas as forças e lançou a bomba. Um belo arremesso, chegaria longe; mas na metade da parábola um disparo a fez explodir no ar. O soldado se virou com a cara no chão para não receber os estilhaços.

Quando reergueu a cabeça, o corvo tinha chegado. Havia no céu acima dele um pássaro preto que voava em giros lentos, talvez um corvo. Agora com certeza o rapaz atiraria nele. Mas o disparo tardava a se fazer ouvir. Talvez o corvo estivesse muito alto? No entanto ele tinha acertado outros mais altos e velozes. Por fim um disparo: agora o corvo cairia, não, continuava girando lento, impassível. No entanto caiu uma pinha, de um pinheiro ali perto. Agora ele estava atirando nas pinhas, por acaso? Acertava as pinhas uma a uma, que caíam com um baque seco.

A cada disparo o soldado olhava o corvo: caía? Não, o pássaro preto continuava girando cada vez mais baixo, acima dele. Será possível que o rapaz não o estivesse vendo? Talvez o corvo não existisse, fosse uma alucinação dele. Talvez quem esteja prestes a morrer veja todos os pássaros passar: quando vê o corvo, quer dizer que chegou a hora. No entanto, era preciso avisar ao rapaz que seguia atirando nas pinhas. Então o soldado se pôs de pé e, indicando o pássaro preto com o dedo — O corvo está ali! —, gritou em sua língua. O projétil o atingiu bem no meio de uma águia de asas abertas que ele trazia bordada no casaco.

O corvo baixava lentamente, em giros.

UM DOS TRÊS AINDA ESTÁ VIVO

Os três estavam nus, sentados numa pedra. Em volta estavam todos os homens do vilarejo, e o grandalhão de barba na frente deles.

— ... e vi as chamas mais altas da montanha — disse o velho de barba — e falei: como um povoado pode queimar tão alto?

Eles não entendiam nada.

— E senti o cheiro de fumaça insuportável, e falei: como pode feder tanto a fumaça de nosso vilarejo?

O mais alto dos três homens nus abraçava os ombros porque ventava um pouco e deu um toque de cotovelo no mais velho, para que lhe explicasse: ainda queria tentar entender, e o velho era o único que sabia um pouco da língua. Mas agora o velho não tirava mais a cabeça das mãos, e só de vez em quando passava pelas costas encurvadas um calafrio na linha das vértebras. Quanto ao gordo, não havia mais o que fazer; se abandonara a um tremor que lhe agitava a adiposidade feminina do corpo, os olhos como vidro riscado pela chuva.

— E depois me disseram que eram as chamas do nosso trigo que queimavam as casas e que dentro delas estavam nossos filhos assassinados, que causavam aquele mau cheiro ao queimar: o filho de Tancin, o filho de Gé e o filho do guarda da alfândega.

— Meu irmão Bastian! — gritou o de olhos alucinados. Era

o único que de vez em quando o interrompia. Os outros estavam calados e sérios, com as mãos apoiadas nos rifles.

O mais alto dos três nus não era da mesma nacionalidade de seus companheiros: era de uma região que antigamente tivera vilarejos queimados e filhos assassinados. Por isso sabia o que se pensa de quem queima e mata, e deveria ter menos esperanças do que os outros. No entanto, algo o impedia de se resignar, uma angustiante incerteza.

— Agora conseguimos prender apenas esses três homens — dizia o grandalhão de barba.

— Apenas três, infelizmente! — gritou o alucinado, mas os outros se mantinham calados.

— Pode até ser que haja entre eles os que não são maus, os que obedecem a contragosto, pode até ser que esses três sejam alguns desses...

O alucinado arregalou os olhos para o velho.

— Explique — o mais alto dos três nus dizia ao velho, em voz baixa. Mas a essa altura toda a vida do velho parecia escapar depressa pelas colinas das vértebras.

— Mas quando se trata de filhos assassinados e de casas queimadas não se pode distinguir entre os que são maus e os que não são. E temos certeza de que fazemos justiça ao condenar esses três homens à morte.

"Morte", pensava o mais alto dos três nus, "já ouvi essa palavra. Qual o sentido dela? Morte."

Mas o velho não lhe dava ouvidos, e o gordo parecia ter começado a murmurar orações. De repente se lembrou de que era católico, o mais gordo. Era o único católico da companhia, e com frequência os companheiros zombavam dele. — Eu sou católico... — começou a repetir a meia-voz, na língua dele. Não dava para entender se implorava por salvação na terra ou no céu.

— Sugiro que antes de matá-los seja preciso... — fez o alucinado, mas os outros se levantaram sem dar atenção a ele.

— No Cudebruxa — disse o de bigodes pretos —, assim não vai ser preciso cavar uma fossa.

Fizeram os três se levantar. O gordo pôs as mãos nos genitais. Não havia nada que os fizesse sentir mais o peso da acusação do que o fato de estarem nus.

Conduziram os três pela trilha dos rochedos, com as armas na cintura. O Cudebruxa era a abertura de uma caverna vertical, um poço que descia pela barriga da montanha, fundo, fundo, não se sabia até onde. Os três nus foram conduzidos à borda, e os camponeses armados se puseram na frente deles; então o velho começou a gritar. Gritava frases de desespero, talvez em seu dialeto, os outros dois não o entendiam: era pai de família, o velho, mas era também o pior deles, e seus gritos tiveram o efeito de atiçar a ira dos outros dois contra ele e deixá-los mais calmos diante da morte. O mais alto, no entanto, ainda sentia aquela estranha inquietude, como se não estivesse bem certo de alguma coisa. O católico mantinha as mãos baixas e juntas, não era possível saber se para rezar ou para cobrir os genitais que se encolheram de tanto medo.

Quem perdeu a calma com os gritos do velho foram os camponeses armados: decidiram acabar com aquilo o mais rápido possível e começaram a atirar a esmo, sem esperar uma ordem. O alto viu o católico tombar a seu lado e rolar no precipício, depois o velho cair de cabeça para trás e sumir, arrastando seu último grito pelas paredes rochosas. Viu ainda entre as nuvens de poeira um camponês que pelejava contra um obturador travado, e então desabou no escuro.

Não perdeu a consciência de imediato porque uma nuvem de dor veio e o cobriu como um enxame de abelhas: tinha atravessado um arbusto. Depois, toneladas de vazio penderam do ventre, e ele desmaiou.

De repente teve a impressão de voltar para o alto como por um grande impulso vindo da terra: tinha parado. Tocava algo molhado e cheirava a sangue. Com certeza se arrebentara e agora estava morrendo. Mas não sentia a perda dos sentidos, e todas as dores da queda ainda estavam bem vivas e distintas em seu corpo. Moveu uma mão, a esquerda: respondia. Tateou em busca do outro braço, tocou o pulso, o cotovelo: mas o braço não sentia nada, estava como morto, só se mexia se erguido pela outra mão. Percebeu que estava erguendo o pulso da mão direita segurando-o com as duas mãos: isso era impossível. Então entendeu que tinha na mão o braço de um outro; havia caído sobre os cadáveres dos dois companheiros assassinados. Apalpou a gordura do católico: era um tapete mole, que havia amortecido sua queda. Por isso estava vivo. Por isso e porque, agora se lembrava, ele não tinha sido baleado, mas rolara no chão antes; no entanto, não lembrava se o tinha feito de modo intencional, mas agora isso não tinha importância. Então descobriu que enxergava: um pouco de luz chegava até lá, bem fundo, e o alto dos três nus pôde distinguir suas mãos das que despontavam das carnes debaixo de si. Virou-se e olhou para o alto; havia uma abertura cheia de luz, no topo: a embocadura do Cudebruxa. A princípio um clarão amarelado lhe feriu a vista; depois habituou o olho e distinguiu o azul do céu, muito longe dele, duplamente distante em relação à crosta da terra.

A visão do céu o desesperou: com certeza teria sido melhor se tivesse morrido. Agora ele estava com os dois companheiros fuzilados no fundo de um poço, de onde nunca poderia escapar. Gritou. A mancha de céu lá no alto se recortou de cabeças.
— Tem um vivo! — disseram. Jogaram um objeto. O nu o viu rolar abaixo como uma pedra, depois se chocar contra a parede, e escutou o estouro. Havia um nicho na rocha atrás dele, e o nu se encolheu lá dentro: o poço se enchera de pó e lascas de pedra que ruíam. Puxou para si o corpo do católico e o ergueu diante do nicho; mal se mantinha inteiro, mas era a única coisa que poderia servir de anteparo. Foi bem a tempo: outra bomba desceu e alcançou o fundo, levantando um voo de sangue e pedras. O cadáver ficou em pedaços: agora o nu perdera qualquer defesa ou esperança. Gritou. Na estrela do céu apareceu a barba branca do grandalhão. Os outros se retiraram.
— Ei — disse o grandalhão de barba.
— Ei — respondeu do fundo o homem nu.
E o grandalhão de barba repetiu: — Ei.
Não havia mais nada a ser dito entre eles.

Então o grandalhão de barba se virou: — Atirem uma corda para ele — disse.

O nu não entendeu. Viu umas cabeças de homem saírem, e os que ficaram lhe faziam sinais, sinais de sim, para que ficasse calmo. O nu os olhava espichando a cabeça para fora do nicho, não ousando se expor de todo, sempre com aquela inquietação de quando estava sentado na pedra e o julgavam. Mas agora os camponeses já não jogavam bombas, olhavam para baixo e lhe faziam perguntas, e ele respondia com gemidos. A corda não chegava, um a um os camponeses se afastaram da borda. Então o nu saiu do esconderijo e avaliou a altura que o separava lá de cima, as paredes de rocha nua e íngreme.

Nisso surgiu a cara do alucinado. Olhava ao redor, ria. Inclinou-se da borda do Cudebruxa; apontou o rifle para baixo e disparou. O nu sentiu o tiro assoviar na orelha: o Cudebruxa era um canal torto, não exatamente vertical, por isso as coisas atiradas lá embaixo raramente atingiam o fundo, e era mais fácil que os disparos encontrassem um esporão de rocha e parassem ali. Tornou a se entocar em seu refúgio, com a baba nos lábios, como um cão. Pronto, agora todos os camponeses tinham reaparecido lá em cima, e um deles desenrolava uma corda longa precipício abaixo. O nu via a corda descer, descer, mas não se mexia.

— Vamos! — gritou o de bigode escuro. — Agarre-se e suba.

Mas o nu estava imóvel no nicho.

— Vamos, força — gritavam —, não vamos lhe fazer nada.

— E faziam a corda dançar diante de seus olhos. O nu tinha medo.

— Não vamos lhe fazer nada, juro — diziam os homens, e tentavam achar o tom mais sincero. E eram sinceros: queriam salvá-lo a todo custo para poder fuzilá-lo de novo, mas naquele momento queriam salvá-lo, e em suas vozes havia uma entonação de afeto, de fraternidade humana. O nu sentiu tudo isso e, de resto, tinha pouco a escolher: e agarrou a corda. Porém, entre os homens que a sustentavam, viu despontar a cabeça do de olhos alucinados; então soltou a corda e se escondeu. Precisaram recomeçar a convencê-lo, a exortá-lo; enfim ele se decidiu e começou a subir. A corda era nodosa e se subia bem nela, e era possível se agarrar às saliências da rocha, de modo que o nu reemergia lentamente à luz, e as cabeças dos camponeses em cima se tornavam mais claras e maiores. O de olhos alucinados reapareceu de repente e os outros não tiveram tempo de detê-lo: carregava uma arma automática e logo abriu fogo. A corda partiu à primeira rajada, pouco acima das mãos. O homem despencou batendo contra as paredes e tornou a cair sobre os restos dos companheiros. Lá no alto, contra o fundo do céu, estava o grandalhão de barba abrindo os braços e balançando a cabeça.

Os outros queriam explicar com gestos, com gritos, que não era culpa deles, que aquele louco tinha agido por conta própria, que agora buscariam outra corda e o tirariam dali, mas o nu já não tinha esperanças: não conseguiria mais retornar à terra. Aquilo era um fundo de poço do qual não se podia sair, onde enlouqueceria bebendo sangue e comendo carne humana, sem nunca poder morrer. Lá em cima, contra o fundo do céu, havia anjos bons com cordas e anjos maus com bombas e rifles, e um grande velho de barba branca que abria os braços, mas não podia salvá-lo.

Visto que ele não se deixava convencer pelas boas palavras, os armados decidiram liquidá-lo com uma chuva de bombas, e começaram a lançá-las. Mas o nu tinha achado outro abrigo, uma fissura achatada onde podia entrar e se proteger. A cada bomba que caía, ele se aprofundava mais na fenda da rocha, até que chegou a um ponto em que não via mais nenhuma luz, mas tampouco chegava a tocar o fundo da fissura. Continuava a se arrastar de barriga, como uma serpente, e ao redor dele só havia o breu e o tufo úmido e pegajoso. De tão úmido que estava, o fundo de tufo ficou molhado, depois se cobriu de água; o nu sentiu um riacho frio que corria sob sua barriga. Era o caminho que as águas caídas no Cudebruxa tinham aberto sob a terra: uma longuíssima e estreita caverna, uma tripa subterrânea. Até onde poderia ir? Talvez se perdesse em cavernas cegas no ventre da montanha, talvez restituísse a água através de veias finíssimas que desembocavam em nascentes. Aí está: seu cadáver apodreceria em um cunículo e poluiria as águas das nascentes, envenenando povoados inteiros.

O ar era irrespirável; o nu sentia se aproximar o momento em que seus pulmões não poderiam mais resistir. Entretanto, aumentava o refrigério da água, cada vez mais alta e rápida; o nu agora rastejava imerso com todo o corpo e podia limpar a crosta de lama e sangue, próprio e alheio. Não sabia se havia avançado pouco ou muitíssimo; a escuridão completa e aquele modo de rastejar lhe tiravam o senso das distâncias. Estava exausto: em seus olhos começavam a surgir desenhos luminosos, figuras informes. Quanto mais avançava, mais esse desenho nos olhos se esclarecia, tomava contornos nítidos, mesmo se transformando continuamente. E se não fosse uma luminosidade da retina, mas uma luz, uma luz de verdade, no fim da caverna? Bastaria fechar os olhos ou olhar na direção oposta para confirmar isso. Mas quem fixa uma luz permanece com um clarão na raiz do olhar, mesmo fechando as pálpebras e virando os olhos: assim ele não podia distinguir entre luzes externas e luzes suas, permanecendo na dúvida.

Percebeu uma coisa nova ao tato: as estalactites. Estalactites escorregadias pendiam do teto do cunículo e estalagmites se erguiam da terra, às margens da correnteza, lá onde não estavam erodidas. O nu avançava se agarrando a essas estalactites sobre sua cabeça. E ao seguir em frente se dava conta de que seus braços, de início dobrados, aos poucos precisavam se esticar para tocar as estalactites, ou seja, que o cunículo estava se alargando. Logo o homem pôde arquear as costas, caminhar de gatinhas, e o clarão se fazia menos incerto; agora podia distinguir se seus olhos estavam abertos ou fechados, já adivinhava o contorno das coisas, o arco da abóbada, as estalactites pendentes, o brilho negro da correnteza.

E então o homem caminhou pela longa caverna, agora de pé, rumo à abertura luminosa, com a água na cintura, sempre se agarrando às estalactites para se manter ereto. Uma estalactite parecia maior que as outras, e quando o homem a agarrou sentiu que se abria em sua mão e batia em seu rosto uma asa fria e mole. Um morcego! Continuou voando, e outros morcegos pendurados de cabeça para baixo despertaram e voaram, logo toda a caverna estava repleta de um esvoaçar silencioso de morcegos, e o homem sentia o vento de suas asas em torno de si e as carícias da pele deles na testa, na boca. Avançou numa nuvem de morcegos até o ar livre.

A caverna desembocava numa torrente. O homem nu estava de novo na crosta da terra, debaixo do céu. Estava salvo? Era preciso tomar cuidado para não se enganar. A torrente era silenciosa, tinha seixos brancos e seixos pretos. Em volta havia um bosque denso de árvores disformes, no fundo do bosque não cresciam senão gravetos e espinhos. O homem estava nu em regiões selvagens e desertas, e os seres humanos mais próximos eram inimigos que o perseguiriam com forcas e fuzis assim que o vissem.

O homem nu subiu no alto de um pé de salgueiro. O vale era todo de bosques e barrancos de arbustos sob uma fuga cinzenta de montanhas. Mas ao fundo, numa corcova da torrente, havia um telhado de ardósia e uma fumaça branca que subia. A vida, pensou o nu, era um inferno, com raros vislumbres de antigos paraísos felizes.

O BOSQUE DOS ANIMAIS

Em dias de busca, o bosque parece uma feira. Entre as moitas e as árvores fora das trilhas é um contínuo passar de famílias que empurram uma vaca ou um bezerro, de velhas com uma cabra amarrada a uma corda, de meninas com um ganso debaixo do braço. Há até os que fogem com coelhos.

Aonde quer que se vá, quanto mais os castanheiros se avolumam, mais se encontram bois pançudos e vacas tilintando que não sabem como se mover naquelas encostas íngremes. As cabras se veem em melhor situação, mas as mais satisfeitas são as mulas, que pelo menos uma vez podem se movimentar aliviadas das cargas, mordiscando o capim pelas veredas; os porcos vão fuçar no chão e espetam os focinhos nos espinhos; as galinhas se empoleiram nas árvores assustando os esquilos; os coelhos, que em séculos de cativeiro desaprenderam a cavar tocas, não acham coisa melhor que se meter nas cavidades das árvores. Às vezes topam com arganazes e saem mordidos.

Naquela manhã o camponês Giuà Dei Fichi estava cortando lenha em um ponto remoto do bosque. Não sabia nada do que acontecia no vilarejo, porque tinha saído na noite do dia anterior com a intenção de catar cogumelos de manhã cedo e dormira em uma cabana no meio do bosque, que no outono servia para secar as castanhas.

Por isso, enquanto dava golpes de machado num tronco morto, foi surpreendido ao escutar, distante e próximo do bosque, um vago repique de sinos. Interrompeu o que estava fazendo e ouviu vozes se aproximando. Gritou: — Ooo-u!

Giuà Dei Fichi era um homenzinho baixo e redondo, com uma cara de lua cheia escurecida de pelos e avermelhada de vinho, que vestia um chapéu verde em formato de pão de açúcar com uma pena de faisão, uma camisa com grandes bolinhas amarelas sob o colete de fustão, e uma echarpe vermelha em torno da barriga rotunda para sustentar a calça cheia de remendos azuis.

— Ooo-u! — lhe responderam, e surgiu entre as rochas esverdeadas de líquen um camponês de bigode e chapéu de palha, seu compadre, que puxava atrás de si um bode de barba branca.

— O que você está fazendo aqui, Giuà — perguntou o compadre —, os alemães chegaram ao vilarejo e estão vasculhando todos os currais!

— Ai de mim! — gritou Giuà Dei Fichi. — Vão encontrar minha vaca Coccinella e a levarão embora!

— Corra que talvez ainda chegue a tempo de escondê-la — o compadre aconselhou. — Nós avistamos a coluna que subia do fundo do vale e fugimos depressa. Mas pode ser que ainda não tenha chegado à sua casa.

Giuà largou a lenha, o machado, o cestinho de cogumelos e saiu às pressas.

Correndo pelo bosque, topou com filas de patos que escapavam gralhando entre seus pés, com rebanhos de ovelhas que marchavam compactas, lado a lado, sem lhe dar passagem, e com meninos e velhinhas que gritavam para ele: — Já chegaram à Madonnetta! Estão remexendo nas casas sobre a ponte! Eu os vi fazendo a curva na entrada do vilarejo! — Giuà Dei Fichi se apressava com as pernas curtas, rolando como uma bola pelas encostas e olhando as subidas com o coração na garganta.

Correu, correu e chegou a uma ponta da encosta de onde se abria a vista para o vilarejo. Havia um amplo espaço de ar matinal e tenro, um entorno esfumado de montanhas, e no centro o vilarejo de casas ossudas e amontoadas, todas de pedra e ardósia. E, pelo ar tenso, vinha do vilarejo uma gritaria de alemães e um bater de punhos contra as portas.

"Ai de mim! Os alemães já estão nas casas!"

Giuà Dei Fichi tremia todo nos braços e nas pernas: já sofria de certa tremedeira por causa da bebida, que agora aumentava ao pensar na vaca Coccinella, seu único bem no mundo, que estava para ser levada embora.

Bem de mansinho, cortando pelos campos, mantendo-se encoberto atrás das fileiras dos vinhedos, Giuà Dei Fichi se aproximou do vilarejo. Sua casa era uma das últimas e mais afastadas, ali onde o povoado se perdia nas hortas, em meio a uma extensão verde de abóboras: podia ser que os alemães ainda não tivessem chegado ali.

Espichando a cabeça nas esquinas, Giuà começou a se esgueirar pelo vilarejo. Viu uma rua vazia com o habitual cheiro de feno e estábulo e os novos rumores que vinham do centro do povoado: vozes desumanas e pisar de botas. Sua casa estava ali: ainda fechada. Estavam trancadas tanto a porta do curral, no térreo, quanto as dos cômodos, no alto da consumida escada externa, entre pés de manjericão plantados dentro de panelas de barro. Do interior do curral uma voz falou: — Muuuuuu...

— Era a vaca Coccinella, que reconhecia a aproximação do dono. Giuà se agitou de alegria.

Mas eis que sob uma arcada ouviu reboar um passo humano: Giuà se escondeu no vão de uma porta, retraindo a barriga redonda. Era um alemão de ar camponês, com pulsos e pescoço compridos que despontavam do curto casaco, as pernas bem longas e um fuzil grande que nem ele. Tinha se afastado dos companheiros para tentar caçar algo por conta própria; e também porque as coisas e os cheiros do vilarejo lhe recordavam coisas e cheiros conhecidos. Assim ia perscrutando o ar e olhando em volta com sua cara amarela e porcina sob a viseira do quepe achatado. Nisso Coccinella disse: — Muuuuuu... — Não entendia como é que o dono ainda não tinha chegado. O alemão estremeceu em sua roupa curta e se dirigiu imediatamente ao curral; Giuà Dei Fichi não respirava mais.

Viu o alemão dando chutes insistentes na porta: com certeza ele logo a arrombaria. Então Giuà se desviou e passou por trás da casa, foi ao celeiro e começou a procurar debaixo do feno. Ali estava escondida sua velha espingarda de cano duplo, com uma cartucheira fornida. Giuà carregou a espingarda com duas balas de caçar javali, envolveu a barriga na cartucheira e, bem de mansinho, com a arma em punho, foi se postar na saída do curral.

O alemão já estava saindo, puxando Coccinella amarrada numa corda. Era uma bela vaca avermelhada com manchas pretas, por isso se chamava Coccinella.* Uma vaca jovem, afetuosa e caprichosa: agora não queria se deixar conduzir por aquele homem desconhecido e empacava; o alemão tinha de empurrá-la pela cernelha.

Escondido atrás de um muro, Giuà Dei Fichi mirou. Agora é preciso que se saiba que Giuà era o caçador mais desastrado do vilarejo. Nunca acertara uma, nem por acaso, não digo uma lebre, mas nem mesmo um esquilo. Quando atirava em tordos parados, eles nem sequer mudavam de galho. Ninguém queria caçar com ele, porque enchia o traseiro dos colegas de chumbinhos. Não tinha mira, e as mãos tremiam. Imaginem agora, nervoso como estava!

Apontava, mas as mãos tremiam e a boca da espingarda continuava girando no ar. Ajustava o alvo no coração do alemão, e logo lhe aparecia o traseiro da vaca na mira. "Ai de mim!", pensava Giuà, "e se eu atiro no alemão e mato Coccinella?" E não se arriscava a disparar.

O alemão avançava a custo com essa vaca que sentia a proximidade do dono e não se deixava arrastar. De repente se deu conta de que seus companheiros de farda já tinham evacuado o vilarejo e desciam pela estrada principal. O alemão se empenhou em alcançá-los com aquela vaca teimosa atrás de si. Giuà os acompanhava à distância, saltando atrás de sebes e muretas e apontando de vez em quando a espingarda. Mas não conseguia segurar a arma com firmeza, e o alemão e a vaca estavam

(*) Em italiano, "joaninha". (N. T.)

cada vez mais próximos um do outro, de modo que ele não se arriscava a disparar. Teria de deixar que a levasse embora?

Para alcançar a coluna que se afastava, o alemão pegou um atalho pelo bosque. Agora era mais fácil para Giuà segui-lo de perto, se escondendo entre os troncos. E talvez agora o alemão prosseguisse menos próximo da vaca, de modo que fosse possível atirar nele.

Uma vez no bosque, Coccinella pareceu perder a relutância em se mover, ao contrário, como o alemão se orientava mal naquelas trilhas, era ela quem o guiava e se decidia nas bifurcações. Não passou muito tempo e o alemão se deu conta de que não estava no atalho para a estrada, mas no meio do bosque denso: numa palavra, se perdera junto com aquela vaca.

Arranhando o nariz nos arbustos e metendo igualmente os pés nos riachos, Giuà Dei Fichi o acompanhava de perto, entre o farfalhar de carriças que alçavam voo e a fuga das rãs dos pântanos. Era ainda mais difícil acertar a pontaria no meio das árvores, mirar através de tantos obstáculos e com a grande garupa vermelha e preta, tão extensa que sempre parava sob seus olhos.

O alemão já olhava com medo o bosque cerrado, estudando como poderia sair dali, quando ouviu um rumor em um arbusto de medronheiro e dele viu sair um belo porco rosado. Em seu país nunca tinha visto porcos passeando pelos bosques. Soltou a corda da vaca e se pôs atrás do porco. Assim que Coccinella se viu livre, se adentrou trotando pelo bosque, que sentia pulular de presenças amigas.

Para Giuà chegara o momento de disparar. O alemão estava às voltas com o porco, e o abraçava para mantê-lo parado, mas ele sempre escapulia.

Giuà estava a ponto de apertar o gatilho quando duas crianças apareceram ali perto, um garotinho e uma pequena, vestindo gorrinhos de lã com pompons e meias compridas. As crianças estavam à beira das lágrimas. — Atire bem, Giuà, por favor — diziam —, se você matar nosso porco não nos sobra mais nada! — A espingarda recomeçou a dançar a tarantela nas mãos de Giuà Dei Fichi: era um homem de coração muito terno, que se emocionava demais, não porque devia matar aquele alemão, mas pelo risco que o porco daquelas duas pobres crianças estava correndo.

O alemão rolava por pedras e moitas com aquele porco entre os braços que se debatia e grunhia: — Guiii... guiii... guiii... — De repente, aos grunhidos do porco respondeu um "Béee...", e de uma gruta saiu um cordeirinho. O alemão deixou o porco escapar e correu atrás do cordeiro. Que bosque estranho, pensava, com porcos em arbustos e cordeiros em covas. E, agarrando por uma pata o cordeiro que balia desesperado, o içou ao ombro como o Bom Pastor e foi embora. Giuà Dei Fichi o seguia de mansinho. "Dessa vez ele não me escapa. Dessa vez vai dar", dizia, e já estava para atirar quando uma mão ergueu o cano de sua espingarda. Era um velho pastor de barba branca, que juntou as mãos para ele, dizendo: — Giuà, não me mate o cordeirinho, mate o alemão, mas não me mate o cordeirinho. Mire bem, pelo menos uma vez, mire bem! — Mas Giuà já não entendia mais nada nem conseguia achar o gatilho direito.

Caminhando pelo bosque, o alemão fazia descobertas de cair o queixo: pintinhos em cima das árvores, porquinhos-da-índia que apareciam no oco dos troncos. Havia toda uma arca de Noé. Eis que, sobre o galho de um pinheiro, viu pousado um peru que abria a cauda em leque. Imediatamente ergueu a mão para pegá-lo, mas o peru deu um pequeno salto e foi se empoleirar em um galho mais alto, sempre abrindo a cauda em leque. Deixando de lado o cordeirinho, o alemão começou a trepar no pinheiro. Mas quanto mais ele subia nos galhos, mais o peru escalava a outro nível, sem se descompor, de peito estufado e a barbela pendente e flamejante.

Giuà avançava para baixo da árvore com um ramo frondoso na testa, outros dois nos ombros e um amarrado no cabo da espingarda. Mas chegou uma jovem gorducha com um lenço vermelho na cabeça. — Giuà — disse —, me escute bem, se você matar o alemão eu me caso com você; mas, se matar o peru, eu corto suas tripas. — Giuà era velho, mas solteiro e pudico, e ficou todo vermelho, com a espingarda rodando na frente como um espeto de churrasco.

Subindo, o alemão chegou aos galhos mais finos, até que um quebrou sob seus pés e ele despencou. Por pouco não caiu em cima de Giuà Dei Fichi, que dessa vez teve olho e escapou depressa. Mas deixou no chão todos os ramos que o escondiam, e assim o alemão tombou no macio e não sofreu nada.

Caiu e viu uma lebre na trilha. Mas não era uma lebre: era barriguda e oval e, ao escutar o barulho, não escapou, mas se encolheu no chão. Era um coelho, e o alemão o pegou pelas orelhas. Avançava assim, com o coelho que guinchava e se contorcia todo, e, para não o deixar fugir, ele era forçado a pular aqui e ali com o braço erguido. O bosque era todo mugidos e balidos e cacarejos; a cada passo se faziam novas descobertas de animais: um papagaio num ramo de azevinho, três peixes vermelhos saltando numa fonte.

Montado no galho alto de um antigo carvalho, Giuà acompanhava a dança do alemão com o coelho. Mas era difícil mirar nele, porque o coelho mudava continuamente de posição e se metia no meio. Giuà sentiu que puxavam a ponta de seu colete: era uma garotinha de tranças, com o rosto sardento: — Não mate meu coelho, Giuà, senão dá na mesma o alemão levá-lo embora.

Enquanto isso, o alemão tinha chegado a um local todo de pedras cinzentas, roídas por líquens azuis e verdes. Apenas uns poucos pinheiros esqueléticos cresciam ao redor, e perto dali se abria um precipício. No tapete de agulhas do pinheiro que se estendia na terra uma galinha ciscava. O alemão foi apanhar a galinha e o coelho escapou dele.

Era a galinha mais magra, velha e depenada que já se viu. Pertencia a Girumina, a velha mais pobre do vilarejo. O alemão rapidamente se apossou dela.

Giuà se posicionara no alto daquelas rochas e tinha montado um pedestal de pedras para sua espingarda. Ou melhor, tinha praticamente montado a fachada de um fortim, com uma única seteira por onde passou o cano da espingarda. Agora podia atirar sem escrúpulos, porque se matasse aquela galinha depenada o prejuízo seria pouco.

Mas eis que a velha Girumina, enrolada em xales pretos e esfarrapados, veio até ele e falou o seguinte: — Giuà, se os alemães levarem embora minha galinha, a única coisa que me resta no mundo, já vai ser triste. Mas, se você a matar com um tiro, vai ser mais triste ainda.

Giuà voltou a tremer mais forte que antes, pela grande responsabilidade que tinha. Mesmo assim recobrou as forças e apertou o gatilho.

O alemão ouviu o disparo e viu a galinha que se agitava em suas mãos perder a cauda. Depois outro tiro, e a galinha perdeu uma asa. Era uma galinha enfeitiçada, que de vez em quando explodia e definhava em suas mãos? Um outro tiro, e a galinha ficou completamente sem penas, pronta para ser assada, e ainda assim continuava a se debater. O alemão, que começava a ser tomado de terror, a segurava pelo pescoço afastada de si. Um quarto cartucho de Giuà lhe rompeu o pescoço logo abaixo de sua mão, e ele ficou segurando a cabeça, que ainda se mexia. Jogou tudo fora e escapou correndo. Mas não achava mais a trilha. Perto dele se abria aquele precipício rochoso. A última árvore antes do precipício era uma alfarrobeira, e nos galhos dela o alemão viu um grande gato subir.

Agora já não se espantava ao ver animais domésticos espalhados pelo bosque e espichou a mão para acariciar o gato. Pegou o bicho pelo cangote e esperou se consolar ao ouvi-lo ronronar.

Agora é preciso que se saiba que havia tempos aquele bosque estava infestado por um feroz gato selvagem, que matava os pássaros e às vezes até atacava os poleiros do vilarejo. Assim o alemão, que esperava ouvir um ronronar, viu o felino se lançar contra ele de pelo todo eriçado e sentiu suas garras o retalhando. Na luta que se seguiu, o homem e a fera rolaram ambos no precipício.

Foi assim que Giuà, atirador desastrado, foi enaltecido como o maior *partigiano* e caçador do vilarejo. Para a pobre Girumina, compraram uma ninhada de pintinhos paga pelo povoado.

CAMPO DE MINAS

— Minado — assim o velho tinha dito, circulando a mão aberta diante dos olhos, como se limpasse um vidro embaçado. — Tudo por aí, não se sabe bem onde. Eles vieram e minaram. Nós estávamos escondidos.

O homem de calça à zuava olhou para a vertente da montanha e depois para o velho de pé, à porta.

— Mas desde o final da guerra até agora — dissera — houve tempo de providenciar. De todo modo, deve haver uma passagem. Alguém deve conhecer bem.

"Você, velho, conhece muito bem", tinha até pensado, porque na certa o velho era um contrabandista e conhecia a fronteira melhor do que a própria casa.

O velho olhou a calça à zuava com remendos, o alforje surrado e frouxo do homem e aquela crosta de pó, dos cabelos aos sapatos, que testemunhavam quantos quilômetros ele devia ter feito a pé. — Não se sabe bem onde — repetiu. — Pelo caminho. Um campo de minas. — E de novo fez aquele gesto, como se houvesse um vidro embaçado entre ele e todo o resto.

— Quer dizer, será que vou ter tanto azar de tropeçar justo numa mina? — perguntou o homem com um sorriso que lhe chegou aos lábios como um caqui travoso.

— Ah — o velho disse. Apenas isto: — Ah. — Agora o homem tentava se lembrar da entonação daquele "ah". Porque podia ser um "ah, só faltava essa", ou um "ah, nunca se sabe", ou um "ah, nada mais provável". Mas o velho dissera apenas um "ah" sem entonação, seco como seu olhar, como o terreno daquelas montanhas em que até o mato era curto e duro como uma barba humana mal escanhoada.

As plantas nas margens do rio não cresciam mais que um arbusto, com de tanto em tanto um pinheiro torto e cheio de gomos, crescido numa posição que quase não dava sombra. O homem agora caminhava por uns restos de trilhas que subiam a vertente, comidas a cada ano pelas moitas e percorridas apenas pelos pés dos contrabandistas, pés de silvícolas que deixam poucos vestígios.

— Terra maldita — dizia o homem de calças à zuava. — Não vejo a hora de estar na outra vertente. — Por sorte, já tinha feito aquele trajeto outra vez, antes da guerra, e podia prescindir de guia. Também sabia que a passagem era um grande desfiladeiro em subida, que não podia estar completamente minado.

De resto, bastaria ficar atento a onde metia os pés: um ponto com uma mina embaixo devia ter algo de bem diferente de qualquer outro ponto. Alguma coisa: terra remexida, pedras ajeitadas de propósito, relva mais nova. Ali, por exemplo, via-se imediatamente que não podia haver minas. Não podia? E aquela placa de ardósia levantada? E aquela faixa nua em meio ao campo? E aquele tronco derrubado na passagem? Parou. Mas o desfiladeiro ainda estava longe, ainda não podia haver minas ali: prosseguiu.

Talvez preferisse atravessar os terrenos minados de noite, rastejando no escuro, não para escapar das patrulhas de fronteira, porque esses eram locais seguros, mas para escapar do medo das minas, como se as minas fossem grandes feras sonolentas, que pudessem despertar à sua passagem. Marmotas: enormes marmotas aninhadas em covas subterrâneas, com uma que montava guarda no alto de uma rocha, como fazem as marmotas, e davam o alarme ao vê-lo, com um assovio.

"Àquele assovio", pensava o homem, "o campo minado salta pelos ares: as marmotas enormes se precipitam sobre mim e me estraçalham a mordidas."

Mas nunca um homem tinha sido mordido por marmotas, ele nunca saltaria pelos ares sobre as minas. Era a fome que lhe sugeria aqueles pensamentos; o homem sabia, conhecia a fome, as trapaças da fantasia nos períodos de fome, quando cada coisa vista ou ouvida assumia um sentido de alimento ou de mordidas.

Mas as marmotas estavam ali. Dava para ouvir seu sibilo: guiii... guiii... do alto dos rochedos. "Se eu conseguisse matar uma marmota com uma pedrada", pensou o homem, "e assá-la enfiada num espeto."

Pensou no cheiro de gordura da marmota, mas sem náusea; a fome lhe atiçava o apetite até por gordura de marmota, de qualquer coisa que pudesse mastigar. Fazia uma semana que circulava entre as casas, visitava os pastores para mendigar um pão de centeio, uma xícara de leite talhado.

— Quem dera nós tivéssemos. Aqui não temos nada — diziam, e lhe indicavam as paredes nuas e fuliginosas, guarnecidas apenas por alguma réstia de alho.

Chegou antes do que esperava ao ponto em que se avistava a passagem. Imediatamente teve uma reação de estupor, quase de assombro: não esperava ver os rododendros floridos. Achava que encontraria uma valada nua, onde pudesse estudar cada pedra, cada arbusto, antes de pôr um pé depois do outro, e no entanto se via afundado até os joelhos num mar de rododendros, um mar uniforme, impenetrável, do qual só despontavam os dorsos das pedras cinzentas.

E, embaixo, as minas. — Não se sabe bem onde — dissera o velho. — Tudo por aí. — E girou pelo ar aquelas mãos abertas. O homem de calças à zuava tinha a impressão de ver a sombra daquelas mãos estendida sobre a planície de rododendros, expandindo-se até cobri-la.

Escolheu uma direção de marcha que corria por uma anfractuosidade paralela ao vale, difícil de ser trilhada, mas também difícil para quem quisesse miná-la. Mais acima os rododendros rareavam, e entre as pedras se ouviam os guiii... guiii... das marmotas, sem trégua, como o sol batendo na nuca.

147

"Onde há marmotas", pensou, dobrando naquela direção, "é sinal de que não está minado."

Mas o raciocínio estava errado: as minas eram anti-humanos, o peso de uma marmota não era suficiente para fazê-las brilhar. Somente então se lembrou de que as minas se chamavam anti-humanos, e isso o apavorou.

"Anti-humanos", repetia para si, "anti-humanos."

Num piscar de olhos, aquele nome bastou para lhe meter medo. Claro, se minavam uma passagem era para torná-la completamente impraticável: seria o caso de voltar, perguntar melhor aos homens das vizinhanças, tentar outra via.

Virou-se para retornar. Mas onde havia pisado antes? Os rododendros se estendiam às suas costas como um mar vegetal, impenetrável, sem vestígios de seus passos. Talvez já estivesse no meio de um campo minado, um passo em falso poderia acabar com ele: então era melhor prosseguir.

"Terra maldita", pensou, "a terra mais maldita de todas."

Se tivesse um cachorro, um cachorro grande e pesado como um homem, para deixar ir à frente. De repente lhe veio de estalar a língua, como se incitasse um cachorro a correr. "Preciso me fazer de cachorro para mim mesmo", pensou.

Talvez bastasse uma pedra. Havia uma ao lado dele, grande mas carregável, que vinha bem ao caso. Agarrou-a com as duas mãos e a lançou à sua frente o mais longe possível, na subida. A pedra não caiu longe e rolou para trás, na direção dele. O jeito era tentar a sorte assim.

Já estava na parte alta do desfiladeiro, pelo caminho pedregoso e traiçoeiro. As colônias de marmotas escutaram o homem e estavam alarmadas. O ar era ferido por seus gritos como por espinhos de cactos.

Mas o homem já não pensava em caçá-las. Notara que o desfiladeiro, bem mais espaçoso na embocadura, tornava-se cada vez mais estreito, e agora não passava de um canal de rochas e arbustos. Então ele entendeu: o campo minado só podia estar ali. Apenas naquele ponto um certo número de minas, dispostas a uma distância devida, podia barrar todas as passagens obrigatórias. Ao invés de aterrorizá-lo, essa descoberta lhe deu uma estranha tranquilidade. Pois bem: agora ele se encontrava em meio ao campo minado, com certeza. Agora só podia continuar subindo ao acaso, do jeito que fosse. Se o destino quisesse que ele morresse naquele dia, morreria; se não, passaria entre uma mina e outra e sairia a salvo.

Formulou esse pensamento sobre o destino sem convicção: não acreditava em destino. Sim, se ele dava um passo era porque não podia fazer de outro modo, era porque o movimento de seus músculos, o curso de seus pensamentos o levavam a dar aquele passo. Mas havia um instante em que podia dar tanto um passo quanto outro, em que os pensamentos estavam em dúvida, os músculos, tensos e sem direção. Decidiu não pensar, deixar as pernas se moverem como um autômato, dar passadas ao acaso sobre as pedras; mas sempre duvidava se era sua vontade o que o fazia escolher virar à direita ou à esquerda, pousar um pé numa pedra ou em outra.

Parou. Sentia que uma estranha ânsia o tomava, feita de fome e de medo, que não sabia como apaziguar. Procurou nos bolsos: levava consigo um espelhinho, lembrança de uma mulher. Talvez fosse disso que precisava: olhar-se num espelho. No pedacinho de vidro embaçado surgiu um olho, inchado e avermelhado; depois uma face encrustada de poeira e de pelo; depois os lábios secos e rachados, as gengivas mais vermelhas que a boca, os dentes... Mesmo assim o homem preferiria se ver em um espelho grande, se ver por inteiro. Girar aquele espelhinho ao redor do rosto para ver um olho, uma orelha, não o satisfazia.

Prosseguiu. "Até agora não topei com o campo de minas", pensou, "agora só faltam cinquenta, quarenta passos..."

Toda vez que pousava o pé, ao sentir sob si a terra dura e firme, soltava um suspiro. Um passo foi dado, e outro, e outro ainda. Aquela camada de argila parecia uma armadilha, no entanto é sólida; esta moita de urze não esconde nada: esta pedra... a pedra sob seu peso afundou dois dedos. — Guiii... guiii... — faziam as marmotas. Em frente, o outro pé.

A terra que se tornou sol, o ar que se tornou terra, o "guiii" das marmotas que se tornou trovão. O homem sentiu uma mão de ferro que o agarrava pelos cabelos, na nuca. Não uma mão, mas cem mãos que o agarravam cada uma por um cabelo e o rasgavam desde os pés, como se rasga uma folha de papel, em centenas de pequenos pedaços.

OBSERVADOS À MESA

Imediatamente entendi que algo aconteceria. Os dois se miravam por cima da mesa, com olhos sem expressão, como peixes num aquário. Mas dava para ver que eram estranhos, incomensuráveis um ao outro, dois animais desconhecidos entre si que se estudam e desconfiam.

Ela havia chegado antes: era uma mulher enorme, vestida de preto, decerto uma viúva. Uma viúva do campo, que viera à cidade para fazer negócios, como logo pude perceber. Nas cantinas populares de sessenta liras, onde costumo comer, também aparece esse tipo de gente: grandes ou pequenos contrabandistas com um gosto pela economia herdado dos tempos de miséria, que de vez em quando têm rompantes de prodigalidade ao lembrar que trazem os bolsos cheios de notas de mil; rompantes que os fazem pedir *tagliatelle* e bistecas, ao passo que todos nós, solteiros magros que vamos no mais em conta, cobiçamos gulosos seus pratos enquanto engolimos colheradas de minestra. A mulher devia ser uma contrabandista rica; sentada, ocupava um lado da mesa e ia tirando da bolsa panos brancos, frutas, queijos mal embrulhados em papel, e enchia a toalha com eles. Entretanto, maquinalmente, com os dedos orlados de preto, ia pegando uvas e pedacinhos de pão, que sumiam em sua boca numa mastigação silenciosa.

Foi então que ele se aproximou e viu a cadeira desocupada, com um canto de mesa ainda livre diante de si. Perguntou:

151

— Com licença? — A mulher o olhou de esguelha, mastigando. Perguntou mais uma vez: — Desculpe... com licença? — A mulher alargou os braços e emitiu um grunhido com a boca cheia de pão mastigado. O homem cumprimentou, erguendo levemente o chapéu, e se sentou. Era um velhote limpo e puído, de colete engomado e casaco, embora não fosse inverno, com um fio de aparelho auditivo pendendo do ouvido. Ao vê-lo, subitamente se sentia um mal-estar por ele, por aquela boa educação que transparecia em cada gesto. Na certa era um nobre decaído, vindo bruscamente de um mundo de polidez e mesuras para um mundo de empurrões e socos na cintura, ignorante de tudo, que continuava a fazer mesuras entre a multidão da mesa popular como se estivesse numa recepção de corte.

Agora um estava diante do outro, a nova rica e o ex-rico, animais desconhecidos um para o outro; a mulher, larga e baixa, com grandes mãos apoiadas na toalha como patas de caranguejo, e um movimento na garganta como o de um caranguejo ao respirar; o velhote estava empertigado na cadeira, com os cotovelos rentes aos flancos, as mãos enluvadas encolhidas pela artrite e finas veias azuis que lhe saltavam do rosto como uma pedra roída pelos líquens.

— Desculpe o chapéu — disse. A mulher o observava com o amarelo dos olhos. Não entendia nada do que ele dizia.

— Desculpe — repetiu o homem — se estou com o chapéu na cabeça. Há uma corrente de ar.

Então a grande viúva esboçou um sorriso nos cantos da boca guarnecida de uma penugem de inseto, quase sem mover os músculos do rosto, um sorriso engolido, de ventríloquo. — Vinho — ordenou à garçonete que passava.

Àquela palavra, o velho enluvado bateu os cílios: devia gostar de vinho, as veias em cima do nariz testemunhavam bebedeiras longas e atentas, de bom apreciador. Mas há tempos devia ter renunciado à bebida. Agora a grande viúva ensopava nacos de pão branco em um copo de vinho e mastigava, mastigava.

Às vezes o velho de luvas devia ser acometido por ataques

de vergonha, como se estivesse cortejando uma mulher e temesse demonstrar avareza. — Vinho também para mim! — disse. Depois se arrependeu logo do que disse, pensou que talvez gastasse toda sua pensão antes do final do mês e que deveria jejuar por dias e dias, encapotado no frio de sua mansarda. Não serviu o vinho no copo. "Talvez", pensou, "eu possa devolvê-lo sem tocar nele, dizer que perdi a vontade e não pagar."

E ele de fato perdeu a vontade, até a vontade de comer; mexia a colher na minestra insípida mastigando com os poucos dentes, enquanto a grande viúva devorava garfadas de macarrão banhado na manteiga.

"Tomara que agora eles fiquem calados", pensei, "que um dos dois termine logo e vá embora." Não sei de que eu tinha medo. Os dois eram seres monstruosos, ambos carregados, sob aquela preguiçosa aparência de crustáceos, de um ódio recíproco e terrível. Imaginava uma luta entre eles como um lento despedaçar-se de monstros dos abismos marinhos.

Já o velho estava quase sob o assédio das iguarias da viúva nos embrulhos espalhados sobre a mesa: confinado em um canto com sua minestra insípida e dois pãezinhos mirrados do abonamento. Moveu-os ainda mais para trás, os pãezinhos, como temendo que se perdessem no campo inimigo, mas, por um movimento em falso da mão enluvada e encolhida, esbarrou num pedaço de queijo que caiu no chão.

A viúva estava enorme diante dele: sarcástica.

— Perdão... perdão... — disse o enluvado. A viúva o encarava como se olha um novo animal; não respondeu.

"Pronto", pensei, "agora ele vai gritar: Chega!, e arrancar a toalha!"

Em vez disso, ele se inclinou e se agitou sem jeito sob a mesa para pegar o queijo. A grande viúva ficou um instante a observá-lo e depois, quase sem se mover, desceu uma de suas patas enormes até o chão, apanhou o pedaço de queijo, o limpou, o aproximou da boca de inseto e o devorou antes mesmo que o velho de luvas reaparecesse.

Finalmente ele se reergueu, dolorido pelo esforço, rubro

de confusão, com o chapéu torto e o fio do aparelho auditivo de viés.

"Pronto", pensei, "agora vai pegar a faca e matar a mulher!" No entanto, parecia não encontrar meios de se consolar pelo vexame que estava convencido de ter dado. Então lhe veio a vontade de falar, de discorrer sobre qualquer coisa, a fim de dissipar aquela atmosfera de incômodo. Mas não conseguia dizer uma frase que não nascesse daquele incômodo, que não fosse de desculpa.

— Aquele queijo... — disse. — Realmente uma pena... Lamento...

A grande viúva já não se contentava em humilhá-lo com seu silêncio, agora queria esmagá-lo.

— Isso me preocupa muito — disse. — Em Castel Brandone tenho formas grandes assim daquele queijo — e fez um gesto. Mas não foi a largueza do gesto que impressionou o velho enluvado.

— Castel Brandone? — disse, e seus olhos brilhavam. — Eu estive em Castel Brandone como subtenente! Em 1895: para o tiro de guerra. A senhora, que é de lá, com certeza deve conhecer os condes Brandone D'Asprez!

A viúva agora não se limitava à expressão sarcástica, mas ria. Ria e olhava ao redor para ver se os outros clientes também notavam como aquele homem era ridículo.

— A senhora não recordará — prosseguiu o velho —, a senhora com certeza não recordará... mas naquele ano o tiro de guerra de Castel Brandone foi visitado pelo rei! Houve uma recepção no castelo dos D'Asprez! E foi então que aconteceu o fato que vou lhe contar...

A grande viúva olhou o relógio, pediu um prato de fígado e recomeçou a comer depressa, sem dar ouvidos a ele. O velho de luvas entendeu que estava falando sozinho, mas não se interrompeu: não seria elegante interromper, devia terminar de contar o que começara.

— Sua majestade entrou no salão todo iluminado — continuou com lágrimas nos olhos. — De um lado estavam as damas em vestido de gala, que se inclinavam diante dele, e do outro todos nós oficiais, em posição de sentido. E o rei beijou a mão da condessa e cumprimentou um e outro. Então se aproximou de mim...

Os dois quartos de vinho estavam próximos, sobre a mesa: o da viúva quase vazio, o do velho, ainda cheio. Distraidamente a viúva se serviu do quarto cheio e bebeu. Mesmo no calor do relato, o velho se deu conta disso: pronto, agora não havia mais esperança, teria de pagá-lo. E talvez a grande viúva o bebesse inteiro. Mas não seria delicado fazer que ela notasse o erro, talvez se sentisse ofendida. Não, não seria delicado!

— E sua majestade me perguntou: E o senhor, tenente? Perguntou-me exatamente assim. E eu, em posição de sentido: Subtenente Clermont De Fronges, majestade. E o rei: Clermont! Conheci seu pai, disse, um bravo soldado. E apertou minha mão... Falou precisamente isto: um bravo soldado!

A grande viúva havia terminado de comer e se levantara. Agora remexia na bolsa, apoiada na outra cadeira. Estava inclinada e, por cima da mesa, se via apenas seu traseiro, um enorme traseiro de mulher gorda, coberto de tecido preto. O velho Clermont De Fronges tinha diante de si esse grande traseiro que se movia. Continuava o relato com o rosto transfigurado: — ... Todo o salão com os lampadários acesos e os espelhos... E o rei que apertou minha mão. Bravo, Clermont De Fronges, me disse... E todas as senhoras ao redor em vestido de gala...

FURTO NUMA CONFEITARIA

O Dritto chegou ao local combinado quando os outros já o esperavam havia um tempo. Os dois estavam lá: Gesubambino e Uora-uora. O silêncio era tanto que da rua era possível ouvir os relógios soando nas casas: duas batidas, era preciso se apressar se não quisessem ser flagrados pela alvorada.

— Vamos — disse o Dritto.
— Onde é? — perguntaram.
Dritto é do tipo que nunca explica o golpe que planejam dar.
— Agora vamos — respondeu.

E caminhava em silêncio pelas ruas vazias como rios na seca, com a Lua que os seguia ao longo dos fios dos bondes, o Dritto à frente com seus olhos amarelos e inquietos, e aquele movimento nas narinas que pareciam farejar.

Chamam Gesubambino assim porque ele tem a cabeça grande de recém-nascido e um corpo atarracado; talvez também por ter cabelos curtos e um belo rostinho com bigodinho preto. É todo músculos e se movimenta com a maciez de um gato; não há ninguém que escale e se encolha como ele, e quando Dritto o leva consigo há sempre um motivo.

— Vai ser um bom golpe, Dritto? — perguntou Gesubambino.
— Se o dermos — disse o Dritto, uma resposta que não queria dizer nada.

156

Enquanto isso, por caminhos que só ele conhecia, desviaram para um pátio. Os dois entenderam que iam trabalhar nos fundos de uma loja, e Uora-uora se adiantou porque não queria ser sentinela. O destino de Uora-uora é servir de sentinela; seu sonho era entrar nas casas, vasculhar, encher os bolsos como os outros, mas ele sempre tem que ficar de sentinela nas ruas frias, exposto ao perigo das patrulhas, batendo os dentes para não congelar e fumando para fazer pose. É um siciliano varapau, Uora-uora, com uma cara triste de mulato e os pulsos que despontam das mangas. Quando participa de algum golpe, se veste todo elegante, sabe-se lá por quê: vai de chapéu, gravata e impermeável; e, quando é preciso fugir, ele pega as pontas do impermeável e parece querer abrir as asas.

— Fique de vigia, Uora-uora — disse o Dritto, movendo as narinas. Uora-uora se afastou amuado: sabia que o Dritto pode continuar mexendo as narinas cada vez mais rápido, mas a certa altura ele para e saca a pistola.

— Ali — disse o Dritto a Gesubambino. Havia uma janelinha alta, com um papelão no lugar do vidro quebrado.

— Você sobe, entra e abre para mim — disse. — Cuidado para não acender as luzes, que de fora se vê tudo.

Gesubambino subiu como um macaco pelo muro liso, afundou o papelão sem fazer barulho e pôs a cabeça para dentro. Até então não tinha percebido o cheiro: respirou fundo, e lhe subiu às narinas uma nuvem daquele perfume característico dos doces. Mais que um sentimento de gula, experimentou uma trêmula comoção, o sentido de uma remota ternura.

"Deve ter muitos doces aqui dentro", pensou. Fazia anos que não comia um pouco de doces como se deve, talvez desde antes da guerra. Procuraria em toda parte até encontrar os doces, com certeza. Desceu no escuro; deu um chute num telefone, um cabo de vassoura se enfiou em suas calças e depois tocou o chão. O aroma de doces era cada vez mais forte, mas não dava para entender de onde vinha.

"Deve ter um monte de doces aqui", pensou Gesubambino. Alongou uma mão, tentando se ambientar no escuro a fim de alcançar a portinha e abri-la para Dritto. Imediatamente retraiu a mão, com nojo: devia haver um monstro na frente dele, um monstro marinho, talvez, mole e viscoso. Permaneceu com a mão no ar, uma mão que agora estava melada, úmida, como coberta de lepra. Entre os dedos sentiu que lhe despontava um corpo abaulado, uma excrescência, talvez uma pústula. Arregalava os olhos, mas não via nada, nem sequer a mão debaixo do nariz. Não via nada, mas sentia o cheiro: então riu. Entendeu que tinha tocado em uma torta, e tinha na mão um pouco de creme e uma cereja cristalizada.

Começou a lamber a mão imediatamente, e com a outra continuou tateando ao redor. Tocou algo sólido, mas macio, com um véu granulado na superfície: um *crafen*! Sempre tateando, o enfiou inteiro na boca. Deu um pequeno grito de surpresa ao descobrir que tinha geleia dentro. Era um lugar maravilhoso: em qualquer direção que alongasse a mão, no escuro, encontrava novas espécies de guloseimas.

Ouviu batidas numa porta ali perto, impacientes: era o Dritto esperando que ele abrisse. Gesubambino seguiu em direção ao ruído e suas mãos esbarraram primeiro em merengues, depois em crocantes. Abriu. A lanterna de bolso de Dritto iluminou seu rosto com o bigodinho já branco de creme.

— Está cheio de doce aqui! — disse Gesubambino, como se o outro não soubesse.

— Não é hora de doces — fez Dritto, desviando-se dele —, não temos tempo a perder. — E seguiu em frente varrendo o escuro com o facho de luz da lanterna. Em cada ponto que iluminava descobria filas de prateleiras e, sobre as prateleiras, filas de bandejas e, sobre as bandejas, filas de doces alinhados, de todos os formatos e cores, e tortas cheias de creme que escorria como cera em uma vela acesa, e baterias enfileiradas de panetones e fornidos castelos de torrones.

Então um desânimo terrível se apossou de Gesubambino: o desânimo de não ter tempo de se saciar, de ter que fugir antes de experimentar todos os tipos de doce, de ter ao alcance das mãos todas aquelas delícias só por alguns minutos em sua vida.

E quanto mais doces descobria, mais o desânimo aumentava, e a cada novo corredor, a cada nova perspectiva da loja descortinada pela lanterna de Dritto, ele se punha à sua frente como para barrar-lhe os caminhos.

Lançou-se sobre as prateleiras devorando os doces, enfiando na boca dois, três de uma vez, sem sequer sentir o gosto deles; parecia lutar com os doces, inimigos ameaçadores, estranhos monstros que o cercavam no assédio, um assédio crocante e xaroposo em que devia abrir passagem à força de mandíbulas. Os panetones já cortados abriam fauces amarelas e vigilantes contra ele, estranhas roscas desabrochavam como flores de plantas carnívoras; por um momento, Gesubambino teve a sensação de que ele é que seria devorado pelos doces.

Dritto o puxava pelo braço.

— O caixa — disse —, precisamos pegar o caixa.

Enquanto isso, ao passar, meteu na boca um pedaço de pão de ló colorido, e depois a cereja de um bolo, e depois um brioche, sempre depressa, tentando não se distrair de sua missão. Tinha apagado a lanterna.

— De fora podem nos ver à vontade — disse.

Tinham chegado ao salão da confeitaria, com os mostruários de vidro e as mesinhas de mármore. Havia a luz noturna que vinha da rua, porque a porta externa era gradeada e lá fora se viam casas e árvores, com um estranho jogo de sombras.

Agora era preciso forçar o caixa.

— Segure aqui — disse o Dritto a Gesubambino, passando-lhe a lanterna voltada para baixo, para que não se visse nada do lado de fora.

Mas Gesubambino segurava a lanterna com uma mão e, com a outra, apalpava ao redor. Agarrou um *plum-cake* inteiro e, enquanto Dritto pelejava com seus ferros na fechadura, começou a mordê-lo como se fosse pão. Logo se sentiu cheio, e o largou meio comido no mármore.

— Saia daí! Olhe a porcaria que você está fazendo! — lhe gritou de dentes cerrados o Dritto, que, apesar da profissão, tinha um estranho amor pelo trabalho bem-organizado. Depois não resistiu à tentação e meteu dois biscoitos na boca, do tipo metade de Savoia e metade de chocolate, sempre sem parar de trabalhar.

Mas, para ficar com as mãos livres, Gesubambino tinha montado uma espécie de quebra-luz com pedaços de torrone e forros de bandeja. Tinha visto umas tortas com os dizeres "Feliz aniversário". Andou ao redor, estudando um plano de ataque: primeiro as passou em revista com o dedo e lambeu um pouco de creme ao chocolate, depois afundou a cara dentro delas, começando a morder as tortas a partir do centro, uma a uma.

Mas continuava com uma ânsia que não sabia como saciar, não conseguia achar um meio de aproveitá-las inteiramente. Agora estava de quatro sobre a mesa, com as tortas debaixo de si: gostaria de se despir e se deitar nu sobre aquelas tortas, revirar-se em cima delas sem nunca mais se afastar dali. No entanto, em cinco, dez minutos tudo estaria acabado: pelo resto da vida as confeitarias se tornariam proibidas para ele, como quando na infância esmagava o nariz contra as vitrines. Se pelo menos pudesse ficar ali três, quatro horas...

— Dritto! — fez ele. — E se ficarmos escondidos aqui até clarear, quem vai nos ver?

— Não seja idiota — disse o Dritto, que tinha conseguido forçar a gaveta e estava revirando as cédulas. — Temos que nos mandar daqui antes que a polícia chegue.

Justo naquele momento ouviu uns toques na vitrine. Na meia-lua, viram Uora-uora batendo através da grade da porta e gesticulando. Dentro da loja os dois estremeceram, mas Uora-uora fazia sinal para que se acalmassem, dizendo que Gesubambino ficasse no lugar dele, porque ele entraria ali. Os outros lhe mostraram punhos e dentes, fazendo sinal para que saísse da frente da loja e perguntando se ele tinha ficado maluco.

Nesse meio-tempo, Dritto descobriu que no caixa só havia uns poucos milhares de liras e começou a xingar, praguejando com Gesubambino que não queria ajudar. Gesubambino parecia fora de si: cravava os dentes num strudel, mordiscava passas, lambia caldas, melando-se e deixando restos nos vidros dos mostruários. Descobriu que não tinha mais desejo de doces, aliás, sentia uma náusea subindo pelas paredes do estômago, mas não queria ceder, ainda não podia se render. E os *crafen* se tornaram pedaços de esponja; os crepes, rolos de mata--moscas; as tortas escorreram visgo e betume. Ele via apenas cadáveres de doces, que apodreciam estendidos nos balcões em seus sudários ou se desfaziam numa goma escura dentro de seu estômago.

Dritto começou a se enfurecer contra a fechadura de um outro caixa, agora esquecido dos doces e da fome. Foi então que, dos fundos da loja, Uora-uora entrou blasfemando em um siciliano que ninguém entendia.

— A polícia? — perguntaram os dois, já pálidos.
— Troca de guarda! Troca de guarda! — gemia Uora-uora em seu dialeto, pelejando para explicar numa saraivada de palavras em *u* a injustiça cometida contra ele, em jejum e passando frio, enquanto os outros se empanturravam de doces.

— Vá ficar de sentinela! Vá ficar de sentinela! — Gesubambino gritava para ele com raiva; a raiva por já estar saciado que o tornava ainda mais egoísta e mau.

Dritto entendia que fazer a troca com Uora-uora seria mais do que justo, mas também entendia que Gesubambino não se deixaria convencer tão facilmente, e sem uma sentinela não era possível continuar ali. Por isso sacou a pistola e a apontou para Uora-uora.

— Já para seu posto, Uora-uora — disse.

Desesperado, Uora-uora pensou em fazer sua provisão antes de ir embora e apanhou um montinho de *amaretti coi pinoli* com as mãos grandes.

— E se pegam você com esses doces na mão, idiota, como vai explicar? — Dritto atacou de novo. — Largue tudo aí e caia fora.

Uora-uora chorava. Gesubambino sentiu que o odiava. Levantou um bolo escrito "feliz aniversário" e o jogou na cara dele. Uora-uora poderia muito bem se esquivar, mas em vez disso espichou o rosto para a frente e o recebeu em cheio; depois riu com a cara, o chapéu e a gravata lambuzados de bolo, e foi embora dando lambidas até o nariz e as maçãs do rosto.

Finalmente Dritto tinha conseguido abrir o caixa principal e estava embolsando as cédulas, praguejando porque elas grudavam nos dedos sujos de geleia.

— Vamos, Gesubambino, temos de ir embora — disse.

Mas para Gesubambino as coisas não podiam terminar assim: aquilo teria de ser uma comilança a ser contada por anos aos companheiros e a Mary, a Toscana. Mary, a Toscana, era a amante de Gesubambino: tinha pernas compridas e lisas e um corpo e um rosto quase equinos. Gostava de Gesubambino porque ele se enrolava e subia em seu corpo como um grande gato.

A segunda entrada de Uora-uora interrompeu o curso desses pensamentos. Dritto sacou a pistola imediatamente, mas Uora-uora disse: — A polícia! — e escapou correndo, voando com as pontas do impermeável nas mãos. Recolhendo as últimas notas, o Dritto em dois saltos já estava na porta; e Gesubambino atrás dele.

Gesubambino estava pensando em Mary: só então se lembrou que poderia levar uns doces para ela, que ele nunca lhe dava presentes, que talvez ela fizesse um escarcéu por causa disso. Voltou, apanhou uns canoles, os enfiou sob a camisa e logo pensou que tinha escolhido os doces mais frágeis, procurou algo mais sólido e forrou o peito com eles. Nisso viu a sombra dos policiais na vitrine, que se agitavam e apontavam para alguém ao fundo da rua; um deles apontou a arma naquela direção e disparou.

Gesubambino se agachou atrás de um balcão. Não deviam ter acertado o alvo: agora faziam gestos contrariados e olhavam para dentro da loja. Pouco depois sentiu que haviam descoberto a portinha aberta e que estavam entrando. A confeitaria ficou cheia de policiais armados. Gesubambino estava encolhido, mas enquanto isso, ao descobrir frutas cristalizadas ao alcance dos braços, devorava umas cidras e bergamotas para manter a calma.

O pessoal da patrulha constatava o furto e os vestígios da comilança nas prateleiras. E assim, de maneira distraída, começaram a levar à boca algum docinho desgarrado, tomando cuidado para não confundir as pistas. Depois de uns minutos, ansiosos nas buscas por provas do crime, estavam todos ali, comendo desbragadamente.

Gesubambino mastigava, mas os outros mastigavam mais alto que ele e cobriam o ruído. Sentia uma densa liquefação entre a pele e a camisa, e a náusea a lhe subir pelo estômago. Estava tão aturdido pelo tanto de doces devorados que demorou um pouco para perceber que o caminho até a porta estava livre. Mais tarde os policiais disseram ter visto um macaco com o focinho melado atravessando aos saltos a confeitaria, revirando bandejas e tortas. E, antes que pudessem se recobrar do espanto e afastar as tortas sob seus pés, ele já havia fugido.

Quando já estava com Mary, a Toscana, e abriu a camisa, se viu com o peito coberto por uma estranha pasta. E ficaram até o amanhecer, ele e ela, deitados na cama a se lamber e mordiscar até a última migalha e o último vestígio de creme.

DÓLARES E VELHAS PROSTITUTAS

Depois do jantar, Emanuele brincava de bater o mata-moscas nas vidraças. Tinha trinta e dois anos e era gordo. Sua mulher, Jolanda, estava trocando as meias para ir passear.

Para lá das vidraças estava o terraço avariado do antigo Depósito Aduaneiro, que abria a vista do mar por entre as casas em declive: o mar estava escurecendo, e um vento forte subia pelas ruas: seis marinheiros do contratorpedeiro americano *Shenandoah*, ancorado ao largo do porto, tinham entrado no bar "O Barril de Diógenes".

— Seis americanos no Felice — disse Emanuele.
— Oficiais? — indagou Jolanda.
— Marujos. Melhor. Se apresse. — Tinha erguido o chapéu e girava sobre si mesmo, tentando achar as mangas do paletó.

Jolanda terminara de pôr a jarreteira e agora escondia as alças do sutiã que se projetavam para a frente.

— Pronto. Vamos.

Contrabandeavam dólares, por isso queriam perguntar àqueles marinheiros se eles tinham para vender. Mas eram gente respeitável, mesmo se contrabandeavam dólares.

No terraço avariado, umas palmeiras plantadas ali para alegrar o ambiente se despenteavam ao vento, como se inconsolavelmente desesperadas. E no centro, toda iluminada, havia a tenda "O Barril de Diógenes", erguida pelo veterano Felice por concessão da prefeitura, embora os conselheiros da oposição protestassem dizendo que ela estragava a paisagem. Era em forma de barril, com um bar e mesinhas dentro.

Emanuele disse: — Então, primeiro vai você, dá uma olhada, puxa conversa e pergunta se querem negociar. Com você é mais fácil que aceitem logo. Depois eu chego e fechamos o acordo.

No Felice, os seis ocupavam o balcão do bar de uma ponta a outra, todos de calças brancas e cotovelos apoiados no mármore, que pareciam ser doze. Jolanda se aproximou e sentiu sobre si doze olhos dando voltas, ao mesmo tempo que as bocas mastigavam e gemiam fechadas. Na maioria eram varapaus mal crescidos, ensacados naqueles camisões brancos e com aqueles chapeuzinhos no cocuruto, mas um estava perto dela, de uns dois metros de altura, com bochechas de maçã e um pescoço piramidal, vestindo o uniforme como se estivesse nu e com dois olhos redondos cujas pupilas giravam para cima e para baixo, sem nunca chegar às bordas.

Jolanda escondeu uma alça do sutiã que sempre saltava para fora, bem na frente.

Do outro lado do balcão, com chapéu de chef e olhos inchados de sono, Felice enchia os copos sem parar. Ele lhe lançou uma saudação sarcástica com sua cara de desmazelo, sempre escura pela mancha da barba. Felice falava inglês, e Jolanda disse: — Felice, pergunte aí se eles querem trocar uns dólares.

Felice era sempre sarcástico e evasivo: — Pergunte você — respondeu. E mandava um rapazinho de cabelos besuntados de preto e cara cor de cebola trazer novas bandejas de pizza e de *frittelle*.

Jolanda tinha ao redor de si esses varapaus brancos que a olhavam mastigando e trocando grunhidos inumanos.

— Please... — disse, fazendo um monte de gestos — eu, para vocês, liras... Vocês, para mim, dólares.

Eles mastigavam. O grandalhão com pescoço de touro sorriu: tinha dentes branquíssimos, tão brancos que não se viam os intervalos.

Um homem baixo, de rosto escuro como um espanhol, abriu espaço: — Eu, dólares, para você — fez, sempre com um monte de gestos —, você, na cama, comigo.

Depois repetiu tudo em inglês, e os outros riram bastante, mas sempre com discrição, sem deixar de mastigar e de manter os olhos grudados nela.

Jolanda se virou para Felice. — Felice — disse —, explique para eles.

— Whisky and soda — dizia Felice com uma pronúncia inverossímil, fazendo os copos rodarem sobre o mármore: seu sarcasmo seria odioso se não estivesse tão cheio de sono.

Então o gigante falou: tinha a voz de uma boia de ferro quando as ondas fazem o anel balançar. Pediu bebida para Jolanda. Pegou a taça da mão de Felice e a ofereceu a ela: não dava para saber como a fina haste de vidro não se espatifava entre dedos tão grandes.

Jolanda não sabia o que fazer. — Eu liras, vocês dólares... — repetia.

Mas aqueles homens já tinham aprendido italiano: — Na cama — diziam. — Na cama, dólares...

Nessa entrou o marido e viu aquele círculo de costas inquietas e a voz de sua esposa, que vinha ali do meio. Encostou no balcão: — Oi, Felice, como vão as coisas? — falou.

— O que eu posso lhe oferecer? — disse Felice com seu cansado sarcasmo em meio à barba feita duas horas antes, que já começava a despontar de novo.

Emanuele descolou o chapéu da testa suada e dava pulinhos para ver atrás daquele muro de costas: — O que minha mulher está fazendo?

Felice subiu num banquinho, espichou o queixo e pulou para baixo: — Continua ali — disse.

Emanuele afrouxou um pouco o nó da gravata para respirar melhor: — Diga a ela que saia — disse. Mas Felice já estava ocupado, gritando com o rapazinho cor de cebola porque ele estava deixando as bandejas sem *frittelle*.

— Jolanda...? — chamou o marido, e tentou se meter entre

dois americanos; levou uma cotovelada no queixo, outra no estômago, e de novo ficou de fora, dando pulinhos em volta da roda. Uma voz um pouco trêmula lhe respondeu, dali do meio: — Emanuele...?
Ele limpou a garganta: — Como está indo...?
— Parece — disse a voz dela, como se falasse ao telefone —, parece que eles não querem liras...
Ele se mantinha calmo; tamborilou no mármore. — Ah, não...? — disse. — Então saia daí.
— Agora mesmo... — ela disse. E tentou nadar em meio àquela rede de homens. Mas havia algo que a retinha: abaixou o olhar e viu uma grande mão pousada sob seu seio esquerdo, uma grande mão forte e macia. E o gigante das faces de maçã estava diante dela com os dentes que cintilavam como o bulbo dos olhos.

— *Please...* — ela falou baixinho, tentando desgrudar aquela mão, e gritou para Emanuele: — Estou indo. — Entretanto continuava ali no meio. — *Please* — repetia —, *please...*

Felice pôs um copo debaixo do nariz de Emanuele. — O que eu posso lhe servir? — perguntou, inclinando a cabeça com o chapéu de chef e se apoiando no balcão com os dez dedos abertos.

Emanuele olhava no vazio. — Uma ideia. Espere — e saiu.

Do lado de fora já tinham acendido as luzes. Emanuele atravessou a rua correndo, entrou no Caffè Lamarmora, olhou ao redor. Estavam lá apenas os mesmos de sempre, jogando trinta e sete. — Venha jogar uma partida com a gente, Manuele! — disseram. — Que cara é essa, Manuele! — Ele já tinha saído às pressas. Foi correndo direto para o bar Paris. Circulou entre as mesas, dando socos na palma da mão. Acabou perguntando no ouvido do barman. O outro respondeu: — Ainda não chegou. Esta noite. — Ele foi embora. O barman caiu na risada e foi contar à mulher do caixa.

No Giglio, a Bolonhesa tinha acabado de espichar as pernas sob a mesa, porque as varizes começavam a doer, quando chegou o gorducho com o chapéu sobre a nuca, tão ofegante que nem dava para entender o que queria.

— Venha — dizia, e a puxava pela mão —, venha rápido que é urgente.

— Manuelino! O que foi que aconteceu? — dizia a Bolonhesa, arregalando os olhos rajados de rugas sob a franjinha preta. — Depois de tantos anos... O que foi, Manuelino?

Mas ele já corria puxando-a pela mão, e ela arfava atrás dele, as pernas inchadas presas na saia justa, na metade da coxa.

Na frente do cinema encontrou Maria, a Louca, que estava seduzindo um cabo.

— Ei! Venha você também. Vou levá-la a uns americanos.

Maria, a Louca, não se fez de rogada, deixou o cabo plantado com um tapinha na bochecha e começou a correr ao lado dele, com os cabelos vermelhos e crespos ao vento e os olhos que rasgavam o escuro com langor.

No "Barril de Diógenes" a situação quase não se alterara. Nas prateleiras de Felice havia vários espaços vazios, o gim já tinha terminado, e as pizzas estavam no final. As duas mulheres chegaram ali com Emanuele as empurrando pelas costas, e os marinheiros, que as viram entrar à força no meio deles, as saudaram com gritos. Emanuele se empoleirou em um banco, exausto. Felice lhe serviu uma bebida forte. Um marinheiro se afastou do grupo e bateu com a mão nas costas de Emanuele. Os outros também o olharam com simpatia. Felice estava dizendo a eles algo sobre o amigo.

— Hein? — perguntou Emanuele. — Você acha que vai dar certo?

Felice mantinha seu eterno sarcasmo sonolento: — Ah! Precisaria de pelo menos seis...

De fato, a situação não melhorava. Maria, a Louca, acabara pendurada no pescoço de um varapau com cara de feto e se contorcia toda no vestidinho verde, como uma serpente que quer mudar de pele; a Bolonhesa tinha afogado com seus peitos o baixote espanhol e o acarinhava, toda maternal. Enquanto isso Jolanda não aparecia. Tinha sempre aquelas costas enormes à frente, que impediam a visão. Emanuele fazia sinais nervosos às duas, que não se perdessem em tontices, que se mexessem; mas elas pareciam esquecidas de tudo.

— Aiii... — fez Felice, espiando por cima dos ombros de Emanuele.

— O que foi? — disse ele, mas o barman já estava gritando com o rapaz, que enxugava os copos muito devagar. Emanuele se virou e viu a nova leva que chegava. Deviam ser uns quinze.

"O Barril de Diógenes" ficou imediatamente lotado de marinheiros, todos altos; Maria, a Louca, e a Bolonhesa se dispersaram no meio daquele cancã: uma pulava do pescoço de um para outro, girando no ar suas pernas simiescas; a outra, com o inverossímil sorriso fixado pelo batom, recolhia os perdidos sob seus peitos de mãezona.

Emanuele viu por um instante Jolanda rodopiar em meio a eles e depois sumir de novo. De vez em quando Jolanda tinha a impressão de ser arrastada por aquela multidão em torno de si, mas toda vez percebia que perto dela estava aquele marinheiro gigantesco, com os dentes e os bulbos dos olhos tão brancos, e toda vez sentia, sem saber bem por que, que estava segura. Aquele homem se movia de forma suave, sempre ao lado dela: em seu imóvel uniforme branco, seu grande corpo devia se deslocar sobre músculos deslizantes como os de um gato; o peito subia e descia lentamente, como se cheio do grande ar marinho. A certa altura, sua voz de pedras no fundo de uma boia começou a dizer palavras distanciadas com um ritmo insólito, e daí nasceu um grande canto, e todos giravam sobre si mesmos como se houvesse música.

Enquanto isso, Maria, a Louca, que conhecia todos os lugares, ia de braço dado com um de bigode e abria caminho a chutes rumo a uma portinha nos fundos do bar. A princípio Felice não queria que abrissem, mas atrás havia um rio de gente que empurrava, e transbordaram para dentro.

Encolhido em cima de seu banquinho, Emanuele acompanhava a cena com olhos aquáticos.

— O que está acontecendo lá, Felice? O que está acontecendo lá? — Mas Felice não respondia, estava preocupado porque não havia mais nada para beber ou comer.

— Vá até a Valchiria e diga que nos empreste algo para beber — disse ao rapazinho-cebola —, qualquer coisa, até cerveja. E salgados. Vá correndo!

Entretanto Jolanda tinha sido empurrada para o outro lado da portinha. Ali havia um quartinho, limpo e com cortinas, e no quartinho havia uma caminha, toda arrumada, com uma colcha azul, e um lavabo, e todo o resto. Então o gigante começou a enxotar os outros para fora do quarto, com calma e firmeza, empurrando-os com suas grandes mãos e deixando Jolanda às suas costas. Mas sabe-se lá por que todos os marinheiros queriam ficar no quartinho, e cada onda que o marinheiro gigante empurrava para fora era uma onda que voltava para dentro, mas sempre menor, porque alguns se cansavam e permaneciam do lado de fora. Jolanda estava contente de que o gigante fizesse aquele trabalho, porque assim podia respirar mais à vontade e esconder as alças do sutiã que sempre saltavam para fora.

Enquanto isso, Emanuele observava: via as mãos do gigante empurrando as pessoas para fora da porta, e sua mulher desaparecida certamente devia estar lá dentro, e os outros marinheiros voltando em contínuas ondas para dentro, e a cada onda um ou dois a menos: primeiro dez, depois nove, depois sete. Dali a quantos minutos o gigante conseguiria trancar a porta?

Então Emanuele correu para fora. Atravessou a praça como na corrida de sacos. No ponto havia uma fila de táxis com motoristas que cochilavam. Ele passou de um a um e acordou todos, explicou-lhes o que deviam fazer e se enfurecia quando não entendiam. Os táxis partiram cada qual em direções diversas. Emanuele também partiu em um táxi, de pé no estribo.

Ao ouvir aquele movimento, Bacì, o velho cocheiro, despertou no alto da boleia e se precipitou para ver se tinha alguma corrida a fazer. Como velha raposa que era em seu ramo, ele logo entendeu tudo, tornou a subir na carroça e acordou o velho cavalo. Quando também a carroça de Bacì se afastou entre rangidos, a praça ficou deserta e silenciosa, exceto pelo rumor que vinha do "Barril de Diógenes", no terraço do antigo Depósito Aduaneiro.

As garotas estavam dançando no "Iris": eram menores de idade com a boca em flor e malhas justas que moldavam os seios redondos. Emanuele não tinha paciência de esperar que a dança terminasse. — Ei, você! — fez a uma jovem dançando com um rapaz que tinha a testa coberta pelos cabelos. — O que você quer? — fez ele. Outros três ou quatro pararam ao redor: caras de pugilistas que farejavam alguma coisa. — Vamos embora — fez o motorista a Emanuele. — Aqui vai ter outra confusão.

Foram à casa da Pantera, mas ela não quis abrir porque estava com um cliente. — Dólares — gritava Emanuele. — Dólares. — Abriu numa camisola que parecia uma estátua alegórica. Arrastaram-na pelas escadas e a carregaram no táxi. Depois foram buscar a Balilla na calçada à beira-mar, com o cão na coleira, a Belbambin no Caffè dos Viajantes com a pele de raposa no pescoço, a Beciuana no Hotel Pace com a piteira de marfim. Depois acharam três recém-chegadas com a madame do "Ninfea", que sempre riam e achavam que estavam indo para o campo. Carregaram todas. Emanuele estava sentado na frente, um tanto alarmado com a algazarra de todas aquelas mulheres apertadas ali dentro; o motorista só temia que lhe arruinassem as molas do carro.

Em certo ponto, um tal surgiu no meio da rua e parecia querer ser atropelado. Fazia sinal para que parassem. Era o rapazinho com cara de cebola, carregando uma caixa de cervejas e uma bandeja de salgados, querendo pegar uma carona. A porta se abriu e o rapazinho se viu aspirado para dentro com caixa e tudo. O carro tornou a partir. Os notívagos arregalavam os olhos atrás daquele táxi que corria como uma ambulância, levando dentro aquela algaravia de vozes agudas. Às vezes Emanuele escutava que algo soltava um chiado longuíssimo e falou ao motorista: — Vai ver quebrou alguma coisa, está ouvindo o barulho? — O motorista balançou a cabeça: — É o rapaz — disse. Emanuele enxugava o suor.

Quando o táxi parou na frente do "Barril", o rapaz foi o

171

primeiro a saltar, com a bandeja levantada e a caixa no outro braço. Estava com os cabelos em pé, os olhos que lhe tomavam metade da cara, e saiu correndo com pulos de macaco, porque não lhe restara sobre o corpo nem sequer um botão.

— Felice! — gritava. — Tudo a salvo! Não deixei que pegassem nada! Mas se soubesse o que fizeram comigo, Felice!

Jolanda ainda estava no quartinho, e o gigante ainda brincava de empurrar a portinha. Agora havia apenas um que insistia em querer entrar, completamente bêbado, e toda vez se chocava contra as mãos do gigante. Nesse momento entraram os novos reforços, e Felice, que se pôs de pé sobre o banquinho para contemplar exausto aquela cena, via a extensão de boinas brancas se abrir para deixar brotar um chapéu de plumas, um traseiro envolto em seda negra, uma coxa gorda como um pernil, um par de seios aparelhados com guarnições de flores, tudo vindo à tona e depois sumindo como bolhas de ar.

Nisso se ouviu o barulho de freios, e quatro, cinco, seis, uma fila inteira de táxis chegou. E de cada táxi saíam mulheres. Lá estavam a Millemosse, com um penteado senhoril, que avançava majestosa, esbugalhando os olhos míopes; Carmen, a Espanhola, toda envolta em véus, o rosto escalavrado como uma caveira e a contorção felina das ancas ossudas; Giovannassa, a Manca, que avançava se apoiando na sombrinha chinesa; a Preta de Carrugio Lungo, com cabelos de negra e as pernas peludas; a Ratinha, com um vestido desenhado por marcas de cigarro; Milena, a Sulfamídica, com um vestido estampado por cartas de baralho; a Chupacães com a cara cheia de furúnculos; e Inês-a--Fatal, com um vestido todo de renda.

Ouviu-se algo rolar no pavimento, e era a carroça de Bacì que chegava com o cavalo semimorto; parou, e outra mulher também desceu dali. Tinha uma saia ampla de veludo, guarnecida de babados e rendas, um peito guirlandado de colares, uma fitinha preta no pescoço, brincos pendentes e decorados, um pincenê com haste, cabelos de um amarelo-peruca e um grande chapéu à mosqueteira encimado por rosas e uvas e pássaros e uma nuvem de plumas de avestruz.

Outros marinheiros tinham acorrido à tenda do "Barril de Diógenes". Um tocava um acordeão e outro, um saxofone. Em cima das mesas havia mulheres que dançavam. Por mais que se tivesse feito, sempre havia bem mais marinheiros que mulheres, e mesmo assim qualquer um que alongasse a mão encontrava uma nádega ou uma teta ou uma coxa que pareciam perdidas e não era possível ver de quem eram: nádegas a meia altura e tetas no nível dos joelhos. Mãos aveludadas e com garras passavam em meio à multidão, mãos de unhas vermelhas agudas e polpas de dedo vibrantes, que se intrometiam sob casacos, tiravam botões das casas, acariciavam músculos, faziam cócegas em recessos. E bocas se encontravam quase voando no ar, grudando sob orelhas como ventosas, e línguas adocicadas e ásperas que salivavam a pele, corroendo-a, e lábios enormes com dobras carmim que chegavam até as narinas. E se sentiam pernas escorrer por toda parte, intermináveis e inumeráveis como os tentáculos de um enorme polvo, pernas que se esgueiravam entre pernas e serpenteavam com golpes de coxa e de panturrilha. E depois pareceu que tudo estava se dissolvendo em suas mãos, e uns se encontravam com um chapéu enfeitado por cachos de uva nas mãos, uns com uma calcinha rendada, uns com uma dentadura, uns com uma meia enrolada no pescoço, uns com um ornamento de seda.

Jolanda tinha ficado sozinha no quartinho com o gigantesco marinheiro. A porta estava fechada à chave, e ela se penteava diante do espelho do lavabo. O gigante foi à janela e afastou a cortina. Lá fora se via o bairro escuro da marina e o cais com a fila de postes de luz refletidos na água. Então o gigante começou uma canção americana que dizia: — *O dia acabou, a noite cai, os céus estão azuis, os sinos começam a tocar.*

E Jolanda também se aproximou para ver além da vidraça, e suas mãos se encontraram no parapeito e ficaram paradas e próximas. E o grande marinheiro da voz de ferro cantava: — *Filhos de Deus, cantemos aleluia.*

E Jolanda repetia: — *Cantemos aleluia, aleluia.*

Enquanto isso, Emanuele circulava angustiado entre os

marujos sem encontrar a esposa, esquivando corpos de mulheres transfiguradas que de vez em quando lhe choviam entre os braços. A certa altura se viu diante do grupo de motoristas que o procuravam para que lhes pagasse o que os taxímetros marcavam. Emanuele estava cheio de lágrimas nos olhos; mas eles não queriam deixá-lo ir sem pagar. O velho Bacì também se unira a eles, girando o grande chicote de cocheiro. — Se não me pagar, eu a levo embora! — dizia.

Depois se ouviram os apitos, e a tenda foi cercada pela polícia. Lá estava a patrulha do contratorpedeiro *Shenandoah* com capacetes e fuzis, que fazia os marinheiros saírem um a um. Enquanto isso os camburões da polícia italiana estavam parados, carregando e levando embora todas as mulheres que conseguiam agarrar.

Os marinheiros foram postos em fila e obrigados a marchar para o porto. Diante deles passaram os camburões da polícia lotados de mulheres, e foi um grande agito de braços a se despedir de parte a parte. O gigante que estava à frente entoou com a voz nítida: — *O dia passou, o sol está descendo, cantemos aleluia, aleluia.*

Encolhida em um camburão entre a Millemosse e a Chupacães, Jolanda ouviu sua voz indo embora e retomou o canto: — *O dia se foi, o trabalho está feito, aleluia.*

E todos cantaram aquela canção, marinheiros e mulheres, uns rumando para a embarcação, outras, para a delegacia.

No "Barril de Diógenes" o veterano Felice começava a empilhar as mesas. Emanuele ficara abandonado numa cadeira com o queixo no peito e o chapéu informe sobre a nuca. Estava a ponto de ser detido também, mas o oficial da Marinha que comandava a operação fez algumas perguntas no entorno e fez sinal para que o deixassem. E também ele, o oficial, permaneceu ali, e agora só havia os dois no local: Emanuele desolado naquela cadeira, e o oficial em pé diante dele, de braços cruzados. Quando teve certeza de estarem sozinhos, o oficial sacudiu o gorducho pelo braço e começou a lhe falar. Felice se aproxi-

mou para servir de intérprete, com o sarcasmo na face escura de desmazelado.
— Ele pergunta se você pode arranjar uma garota para ele também — fez para Emanuele.
Emanuele piscou um pouco os olhos e depois deixou o queixo tombar de novo no peito.
— Você, para mim, garota — dizia o oficial —; eu, a você, dólares.
— Dólares. — Emanuele refrescava as faces a golpes de lenço. Levantou-se.
— Dólares — repetia. — Dólares.
Saíram juntos. No céu voavam nuvens noturnas. O farol acima do cais continuava suas piscadelas intervaladas. O ar ainda estava cheio daquela canção, *Aleluia*.
— *O dia está terminando, os céus estão azuis, aleluia* — cantavam o gordo e o oficial enquanto caminhavam pelas ruas de braços dados, em busca de um local onde farrear a noite toda.

A AVENTURA DE UM SOLDADO

No compartimento, ao lado do militar Tomagra, veio se sentar uma senhora alta e formosa. Devia ser uma viúva da província, a julgar pelo vestido e pelo véu: um vestido de seda preta, apropriado a um longo luto, mas com guarnições e enfeites inúteis, e um véu que lhe passava em volta do rosto, caindo-lhe do contorno do chapéu antiquado e pesado. Outros lugares estavam livres no compartimento, notou o soldado Tomagra; e pensava que a viúva certamente escolheria um deles; no entanto, apesar da áspera proximidade dele, um militar, ela veio se sentar bem ali, na certa por causa de alguma comodidade na viagem, se apressou em pensar o soldado, correntes de ar ou direção da corrida.

Pela exuberância do corpo, sólido, aliás até um pouco quadrado, se as curvas acentuadas não fossem abrandadas por uma maciez matronal, se daria a ela pouco mais de trinta anos; mas, ao olhá-la no rosto, de um encarnado ao mesmo tempo marmóreo e relaxado, o olhar inalcançável sob as pálpebras graves e sobrancelhas negras intensas, e também os lábios severamente cerrados, pintados de leve com um vermelho vibrante, lhe davam um ar de ter mais de quarenta.

Tomagra, jovem soldado de infantaria em sua primeira licença (era Páscoa), encolheu-se todo no assento temendo que a senhora, tão formosa e grande, não coubesse ali; e imediatamente se viu na aura do perfume dela, um perfume popular e talvez ordinário, mas agora, pelo longo hábito, amalgamado aos naturais odores humanos.

A senhora se sentara com compostura, revelando, ali ao lado dele, proporções menos majestosas do que lhe pareceram ao vê-la de pé. Mantinha as mãos, roliças e com apertados anéis escuros, cruzadas no colo, sobre uma bolsinha lustrosa e uma jaqueta que tirara, descobrindo braços claros e redondos. Ao gesto, Tomagra se desviou como para dar lugar a um amplo movimento de braços, mas ela permaneceu quase imóvel, tirando as mangas com breves movimentos dos ombros e do torso.

O assento ferroviário era, então, bastante confortável para dois, e Tomagra podia sentir a extrema vizinhança da senhora mesmo sem o temor de ofendê-la com seu contato. Mas, raciocinou Tomagra, com certeza ela, mesmo sendo uma senhora, não tinha demonstrado qualquer repugnância por ele, pela aspereza de seu uniforme, caso contrário se sentaria mais afastada. E, a esses pensamentos, seus músculos, que estavam contraídos e imóveis, se distenderam livres e serenos; aliás, sem que ele se movesse, tentaram se expandir em sua maior amplitude, e a perna, que antes mantinha os tendões tensos a ponto de se descolar do tecido da calça, acomodou-se mais larga, colando-se por sua vez ao pano que a vestia, e o pano roçou a seda preta da viúva, e eis que através desse tecido a perna do soldado agora aderia à dela com um movimento suave e fugidio, como um encontro de tubarões, com uma agitação de ondas por suas veias até as veias alheias.

Mas se tratava de um contato levíssimo, que cada sacolejo do trem bastava para refazer e desfazer; a senhora tinha joelhos fortes e gordos, e a cada sacudida os ossos de Tomagra lhe adivinhavam a curva preguiçosa da patela; e a panturrilha tinha uma saliente bochecha sedosa que, com impulsos imperceptíveis, era preciso fazer colar na sua. Esse encontro de panturrilhas era precioso, mas implicava uma perda; de fato, o peso do corpo se deslocava, e o apoio recíproco das ancas já não ocorria com o dócil abandono de antes. Para alcançar uma posição natural e satisfeita, foi preciso se deslocar levemente sobre o assento, com a ajuda de uma curva dos trilhos e também da compreensível necessidade de se mexer de vez em quando.

A senhora estava impassível sob o chapéu matronal, o olhar fixo entre as pálpebras, e mãos quietas sobre a bolsinha no colo: no entanto seu corpo, por uma longuíssima faixa, se apoiava à faixa do homem: será que ela não se dava conta? Ou preparava uma fuga? Ou uma revolta?

Tomagra decidiu lhe transmitir de algum modo uma mensagem: contraiu o músculo da panturrilha como se fosse um duro punho quadrado e depois, com esse punho de panturrilha, como se uma mão ali dentro quisesse se abrir, correu e deu um toque na panturrilha da viúva. Claro, foi um movimento muito rápido, apenas o tempo de um vibrar de tendões: de todo modo ela não recuou, pelo menos pelo que ele pôde perceber! Porque logo depois, pela necessidade de justificar aquele gesto secreto, ele espichou uma perna como para espreguiçá-la.

Agora era preciso recomeçar do início; aquela obra paciente e muito prudente de contato se perdera. Tomagra resolveu ser mais corajoso; como se procurasse alguma coisa, meteu a mão no bolso, o bolso do lado da mulher, e então, como se estivesse distraído, não a tirou mais dali. Tinha sido um gesto veloz, Tomagra não sabia se a tinha tocado ou não, um gesto de nada; mas agora compreendia como aquele passo adiante tinha sido importante, e em que jogo arriscado ele já estava envolvido. O dorso de sua mão agora pressionava a anca da senhora de preto; ele a sentia pesar sobre cada dedo, cada falange, e qualquer movimento da mão seria um gesto inaudito de intimidade em relação à viúva. Prendendo a respiração, Tomagra virou a mão no bolso, ou seja, a colocou com a palma voltada para a senhora, aberta sobre ela, mesmo estando dentro do bolso. Era uma posição impossível, o pulso contorcido. Mas a essa altura tanto valia tentar um gesto decisivo: assim, com aquela mão revirada, ele ousou mover um dedo. Não havia mais dúvida possível: a viúva não podia não ter notado aqueles seus movimentos e, se não se retraía, fingindo impassibilidade e ausência, quer dizer que não rechaçava seus avanços. No entan-

A AVENTURA DE UM SOLDADO ▪

to, pensando bem, o descaso dela pela mão inquieta de Tomagra podia querer dizer que ela realmente acreditava em uma busca inútil naquele bolso: de um bilhete ferroviário, de um fósforo... Isso: e se agora as polpas do dedo do soldado, como dotadas de uma repentina clarividência, adivinhavam através daqueles diferentes tecidos as bordas de indumentos subterrâneos e até minúsculas asperezas da pele, poros e pintas, e se, digo, as polpas dos dedos dele chegavam a isso, talvez à carne dela, marmórea e indolente, sentisse apenas que se tratava de polpas de dedo e não, suponhamos, de dorsos de unha ou juntas.

Então, a passos furtivos, a mão se retirou do bolso, parou ali indecisa e depois, com uma repentina pressa de ajeitar as calças na costura lateral, caminhou aos poucos até o joelho. Seria mais justo dizer que abriu uma passagem para si: porque, para avançar, precisou se introduzir entre ele e a mulher, e foi um percurso, mesmo em sua brevidade, repleto de ânsias e de doces comoções.

É preciso dizer que Tomagra se pusera com a cabeça virada para o apoio, de modo que se poderia até dizer que ele dormia: mais que um álibi em si, isso era um modo de oferecer à senhora, na hipótese de que suas insistências não a incomodassem, uma maneira de não se sentir pouco à vontade, sabendo que eram gestos separados da consciência, que mal afloravam de um pântano de sono. E dali, dessa desperta aparência de sono, a mão de Tomagra agarrada ao joelho destacou um dedo, o mindinho, e o pôs a explorar ao redor. O mindinho deslizou sobre o joelho dela, que se manteve silencioso e dócil; Tomagra podia cumprir diligentes evoluções de mindinho sobre a seda da meia que ele, com os olhos semicerrados, apenas entrevia clara e arqueada. Mas se deu conta de que a ousadia desse jogo não tinha compensação, porque o mindinho, por pobreza de polpa e embaraço de movimentos, só transmitia acenos parciais de sensações, não servia para conceber a forma e a substância daquilo que tocava.

Então reatou o mindinho ao resto da mão, sem retirá-lo, mas encostando nele o anular, o médio, o indicador: eis que sua

179

mão pousava inerte sobre aquele joelho de mulher, e o trem a embalava numa carícia ondulante.

Foi então que Tomagra pensou nos outros: se a senhora, por condescendência ou por uma misteriosa intangibilidade, não reagia às suas investidas, na frente havia outras pessoas sentadas que poderiam se escandalizar com aquele seu comportamento impróprio a um soldado, e daquela possível *omertà* por parte da mulher. Sobretudo para livrar a senhora daquela suspeita, Tomagra retirou a mão, ou melhor, a escondeu, como se ela fosse a única culpada. Mas depois pensou que aquela ocultação não passava de um pretexto hipócrita; com efeito, abandonando-a ali no assento não pretendia outra coisa senão aproximá-la mais intimamente da senhora, que tanto espaço ocupava no assento.

De fato, a mão se agitou ao redor, e eis que os dedos já pressentiam a presença dela como um pousar de borboleta, eis que bastava avançar toda a palma com doçura, e impenetrável era o olhar da viúva sob o véu, o peito movido de leve pela respiração, mas que nada! Tomagra já havia retirado a mão como a fuga de um rato.

"Não se mexeu", pensava, "talvez queira", mas também pensava: "Mais um instante e seria tarde demais. Talvez esteja me estudando para depois fazer uma cena".

Então, com o único intuito de uma verificação prudente, Tomagra deslizou a mão de dorso sobre o assento e esperou que o trem balançasse, insensivelmente, fazendo a senhora escorregar sobre seus dedos. Dizer que esperou é impróprio: de fato, com a polpa dos dedos pressionava em cunha entre o assento e ela, com um movimento imperceptível, que também poderia ser o efeito da corrida do trem. Se a certo ponto parou não foi porque a senhora tinha dado qualquer sinal de desaprovação, mas porque, pensou Tomagra, se ela ao contrário aceitava, lhe seria mais fácil ir ao encontro dele com um meio giro de músculos e pousar, por assim dizer, sobre aquela mão à espera. Para demonstrar a ela o propósito amigável de sua insistência, Tomagra, bem debaixo da senhora, tentou um discreto menear de dedos; a senhora olhava para fora da janelinha e com a mão preguiçosa brincava, abre e fecha, com o fecho da bolsa. Eram sinais para que ele entendesse que devia desistir, era uma extrema alusão que ela lhe concedia, uma advertência de que sua paciência não podia continuar sendo posta à prova? Era isso — Tomagra se perguntava —, era isso?

Se deu conta de que sua mão, como um polvo curto, apertava a carne dela. Agora tudo estava decidido: não podia mais recuar, Tomagra; mas ela, ela, ela era uma esfinge.

A mão do soldado agora escalava a coxa com passos tortos de caranguejo; estava à vista de todos, diante dos olhos alheios? Não: eis que a viúva ajeitava a jaqueta que trazia dobrada no colo, eis que a fazia tombar de lado. Para lhe oferecer um abrigo ou para barrar a passagem? Aí está: agora a mão se movia livre e sem ser vista, se agarrava a ela, se estendia em carícias rasantes como um breve propagar-se de vento. Mas o rosto da viúva continuava virado para lá, distante; Tomagra lhe fixava uma zona de pele nua, entre a orelha e a curva do volumoso coque. E na pequena dobra da orelha o pulsar de uma veia; era esta a resposta que ela lhe dava, clara, pungente e inapreensível. Virou o rosto de repente, altivo e marmóreo, o véu se moveu abaixo do chapéu como uma cortina, e o olhar perdido entre as pesadas pálpebras. Mas aquele olhar o ultrapassara, Tomagra, e talvez nem o tenha roçado; olhava para além dele, alguma coisa, ou nada, a ponta de um pensamento, mas de todo modo algo mais importante que ele. Isso ele pensou depois, porque antes, assim que viu o movimento dela, lançou--se para trás imediatamente e apertou os olhos como se dormisse, tentando controlar o rubor que se ia propagando pelo rosto, e assim talvez perdendo a ocasião de colher no primeiro lampejo de seu olhar uma resposta às suas dúvidas extremas.

A mão, escondida sob a jaqueta preta, ficou quase destacada dele, encolhida, e os dedos sugados para o pulso, não mais uma mão de verdade, agora insensível, ou com a sensibilidade arbórea dos ossos. Porém, como a trégua que a viúva deu à própria impassibilidade, com aquela mirada imprecisa ao redor, logo se encerrou, o sangue e a coragem refluíram à mão. E foi então que, retomando contato com aquele flanco de coxa macio, ele percebeu ter chegado a um limite: os dedos escorriam na borda da saia, mais além havia a curva do joelho, o vazio.

Era o fim daquela folia secreta, pensou o soldado Tomagra; e agora, ao pensar naquilo, parecia uma coisa bem mísera às suas lembranças, embora ele a tivesse avaramente agigantado ao vivê-la: uma desajeitada carícia num vestido de seda, algo que não lhe podia ser negado de modo nenhum, justamente por sua penosa condição de soldado, e que com discrição a senhora se dignara, sem dar na vista, a conceder.

Entretanto, na intenção de retrair, desolado, a mão, ele foi interrompido ao notar como ela segurava a jaqueta sobre os joelhos: não mais dobrada (como antes lhe parecera), mas jogada com displicência de modo que a aba caísse diante das pernas. Assim estava em uma toca coberta: uma última prova, quem sabe, de confiança que a senhora lhe concedia, segura de que a desproporção entre ela e o soldado era tanta, que ele decerto não se aproveitaria disso. E o soldado reevocava, com esforço, aquilo que até então se passara entre ele e a viúva, tentando descobrir algo na lembrança da atitude dela que acenasse a algo mais que uma condescendência, e repensava os próprios gestos ora como de uma leveza irrelevante, roçadas e esfregadelas casuais, ora como de uma intimidade decisiva, que o comprometiam a não mais recuar.

Sua mão certamente cedeu a esta última hipótese da lembrança, porque, antes que refletisse bem sobre a irreparabilidade do ato, eis que já superava o vão. E a senhora? Dormia. Tinha abandonado num canto a cabeça com o suntuoso chapéu e estava de olhos fechados. Ele, Tomagra, devia respeitar esse sono, real ou fingido que fosse, e se retirar? Ou era um expediente de mulher cúmplice, que ele já deveria conhecer e pelo qual devia de algum modo demonstrar gratidão? O ponto a que já tinha chegado não permitia protelações, só lhe restava avançar.

A AVENTURA DE UM SOLDADO ▪

A mão do militar Tomagra era pequena e curta, e suas durezas e calosidades eram tão bem fundidas ao músculo que a tornavam macia e uniforme; não se sentia o osso, e seu jeito de se mover era feito mais de nervos, embora com suavidade, que de falanges. E essa pequena mão executava movimentos contínuos, gerais e minúsculos para manter a plenitude do contato viva e acesa.

Mas, quando enfim um primeiro tremular passou pela maciez da viúva, como um transportar-se de longínquas correntes marinhas por secretas vias submarinas, o soldado ficou tão surpreso que, justamente como se supusesse que a viúva não tinha percebido nada até então e tinha de fato adormecido, retirou a mão assustado.

Agora ele mantinha as mãos sobre os próprios joelhos, encolhido no assento como quando ela havia entrado: compreendeu que se comportava de modo absurdo. Então, com um sapatear de saltos e um espreguiçar de quadris, pareceu ansioso por restabelecer os contatos, mas aquela sua prudência também era absurda, como se quisesse recomeçar do zero seu pacientíssimo trabalho e agora não estivesse seguro das profundas metas já alcançadas. Mas ele realmente as alcançara? Ou tinha sido apenas um sonho?

Um túnel de repente os engoliu. A escuridão se fazia cada vez mais densa, e Tomagra, primeiro com gestos tímidos, retraindo-se de vez em quando como se de fato estivesse nas abordagens iniciais e se espantasse com sua ousadia, e depois buscando se convencer sempre mais da extrema intimidade que já havia alcançado com aquela mulher, avançou uma mão trêmula como uma franguinha em direção ao seio, grande e um tanto abandonado a seu peso, e com um tatear aflito tentava explicar a ela a miséria e a insustentável felicidade de seu estado, e sua necessidade, não de outra coisa, mas de que ela saísse daquela sua reserva.

A viúva de fato reagiu, mas com um inesperado gesto de esquiva e de rechaço. Isso bastou para devolver Tomagra ao seu canto, torcendo as mãos. Mas provavelmente era um alarme falso, por causa de uma luz que passara no corredor assustando a viúva, que temia o término repentino do túnel. Talvez: ou será que ele tinha avançado o sinal, tinha cometido alguma grosseria horrível em relação a ela, já tão generosa? Não, entre eles agora não podia haver mais nada de proibido; e o gesto dela, ao contrário, era um sinal de que tudo isso era verdade, que ela aceitava, participava. Tomagra se aproximou de novo. É claro que muito tempo foi perdido nessas reflexões, o túnel não duraria mais tanto, não era prudente se deixar flagrar pela luz inesperada, Tomagra já esperava o primeiro acinzentar-se da parede: e quanto mais ele esperava, mais arriscada era a tentativa, mas com certeza o túnel era longo, de suas outras viagens ele o recordava longuíssimo, é claro que, se tivesse aproveitado desde o início, teria muito tempo à disposição, agora era melhor esperar o final, mas por que não acabava nunca, talvez essa fosse sua última chance, e já a sombra se dissipava, desaparecia agora.

Eram as últimas estações de um percurso de província. O trem se esvaziava, entre os passageiros do compartimento a maioria já havia descido, e lá estavam os últimos baixando as bagagens, se encaminhando para fora. Terminou que ficaram sozinhos no compartimento o soldado e a viúva, muito próximos e separados, de braços cruzados, mudos, o olhar no vazio. Tomagra ainda precisou pensar: "Agora que todos os lugares estão livres, se ela quisesse ficar quieta e confortável, se tivesse aversão a mim, se afastaria...".

Algo o detinha e o amedrontava ainda, talvez a presença de um grupo de fumantes no corredor, ou uma luz que se acendera porque estava anoitecendo. Então pensou em puxar as cortinas que davam para o corredor, como faz quem quer dormir: ergueu-se com passos elefantinos e começou a soltar as cortinas de forma lenta e cuidadosa, a puxá-las, a reatá-las. Quando se virou a encontrou deitada. Como se quisesse dormir: no entanto, além de estar com os olhos abertos e fixos, tinha se reclinado, mantendo intacta sua compostura matronal, com o majestoso chapéu sempre calcado na cabeça apoiada no braço da poltrona.

Tomagra estava em pé diante dela. Ainda quis, para proteger seu simulacro de sono, cobrir também a janelinha externa, e se inclinou sobre ela para desatar as cortinas. Mas era apenas uma maneira de se mover com gestos desajeitados sobre a viúva impassível. Então parou de atormentar os fechos da cortina e se deu conta de que devia fazer outra coisa, demonstrar a ela toda sua improrrogável condição de desejo, nem que fosse para explicar o equívoco em que ela certamente caíra, como se dissesse: "Veja, a senhora foi condescendente comigo porque acredita em nossa remota carência de afeto, de pobres e solitários soldados, mas olhe o que eu sou, olhe como recebi sua cortesia, olhe a que ponto de ambição impossível eu cheguei, veja aqui".

E, como já estava claro que nada era capaz de espantar a viúva, ao contrário, tudo parecia de algum modo previsto por ela, então ao militar Tomagra só restava agir de modo que não houvesse mais dúvida possível, e que finalmente o espasmo de sua loucura conseguisse colher até quem era seu mudo objeto, ela.

Quando Tomagra se levantou, e debaixo dele a viúva continuava com o olhar claro e severo (tinha olhos azuis), com o chapéu guarnecido de véus sempre calcado na cabeça, e o trem não interrompia seu altíssimo apito pelos campos, e do lado de fora continuavam passando aquelas fileiras intermináveis de vinhas, e a chuva que por toda a viagem riscara incansavelmente os vidros recomeçava com novo ímpeto, ele ainda teve um impulso de medo por ter, ele, o soldado Tomagra, ousado tanto.

DORMINDO FEITO CÃES

Toda vez que abria os olhos, sentia sobre si toda aquela luz amarela e ácida das grandes luminárias da bilheteria. E cobria os olhos com a aba da jaqueta levantada, em busca de escuro e de calor. Ao se deitar não notara como as lajes de pedra do pavimento eram duras e geladas: agora navalhas de frio subiam e se infiltravam por baixo da roupa e pelos furos dos sapatos, e a carne escassa dos quadris lhe doía, esmagada entre os ossos e a pedra.

Mas o lugar tinha sido bem escolhido, um cantinho ao abrigo da escadaria, apartado e não transitado; tanto é que, depois de estar ali havia um tempo, chegaram quatro pernas de mulheres altas sobre sua cabeça e disseram: — Ei, aquele ali pegou nosso lugar.

O homem escutava, mas não estava acordado: babava pelo canto da boca sobre o forro descascado da pequena mala, seu travesseiro, e os cabelos se puseram a dormir por conta própria, seguindo a linha horizontal do corpo.

— Bem — disse a voz de antes, por cima dos joelhos terrosos e do cone pendente da saia. — Levante-se. Pelo menos vamos fazer a cama.

E um daqueles pés, pé de mulher em sapatos pesados, o cutucou nos flancos, como um focinho farejando. E o homem se aprumou nos cotovelos, ofegante na luz amarela com pálpebras perdidas e irritadas, e os cabelos que não se deram conta de nada, eriçados. Depois tornou a tombar como se quisesse dar uma cabeçada na mala.

As mulheres tinham tirado os sacos da cabeça. O homem que vinha atrás pôs no chão as cobertas enroladas e começaram a se ajeitar. — Ei — disse a mais velha ao deitado —, levante-se, pelo menos você também fica debaixo. — Mas nada: ele estava dormindo.

— Deve estar morto de cansado — disse a mais jovem, uma só ossos com partes gordas quase apoiadas à sua magreza: seios, nádegas que sacudiam para cima e para baixo sob o vestidinho, enquanto ela se dobrava para estender as cobertas e prendê-las sob os sacos de farinha.

Eram três do mercado negro e vinham com sacos carregados e latas vazias. Gente que tinha dado duro na vida, dormindo no chão, vagando por estações e viajando em vagões de carga, mas que tinha aprendido a se organizar e viajava com cobertores, colocando-os por baixo para amaciar e por cima para aquecer, e usava os sacos e as latas como travesseiro.

A mais velha tentava passar uma beirada de coberta sob o que estava dormindo, mas precisou mantê-lo erguido aqui e ali, porque ele não se mexia. — Deve mesmo estar morto de cansado — fez a velha. — Talvez seja um desses emigrantes.

Entretanto o homem que estava com elas, um magro com roupas de zíper, já tinha se metido entre uma coberta e outra e baixado o gorro até os olhos. — Vamos. Venha para baixo: não está pronta? — disse para as nádegas da mais jovem, ainda inclinada ajeitando os sacos para usar de travesseiro. A mais jovem era mulher dele, mas quase conheciam melhor os pisos dos saguões de espera que sua cama de casal. As mulheres também se meteram sob as cobertas, e a mais jovem e o marido se esfregaram um pouco pelos flancos, fazendo uns ruídos de tremor, enquanto a mais velha aquecia o miserável que dormia. Talvez a mais velha não fosse tão velha, mas era como se fosse, espezinhada pela vida que levava, sempre com cargas de farinha e de azeite na cabeça, para cima e para baixo naqueles trens: e usava um vestido que mais parecia um saco, e o cabelo todo desgrenhado.

O homem que dormia deixava a cabeça escorregar da mala, que era muito alta e o obrigava a manter o pescoço torto; ela tentou ajeitá-lo melhor, mas por pouco ele não bateu a cabeça no chão; então ela apoiou a cabeça dele em seu ombro, e o homem fechou os lábios, engoliu em seco, se acomodou ali no macio e voltou a babar, agora no seio da mulher.

Estavam ali, tentando dormir, quando chegaram três da Baixa Itália. Eram um pai de bigode preto e duas filhas morenas e rechonchudas, os três de baixa estatura, com cestas de vime e os olhos pisados de sono em meio a toda aquela luz. Aparentemente as filhas queriam ir para um lado e ele para o outro, e por isso brigavam, sem se olharem no rosto e quase sem se falar, trocando breves frases entredentes, parando e avançando aos puxões. Descobriram o local já ocupado por aqueles quatro e permaneceram ali, cada vez mais perdidos, até que se juntaram a eles dois jovens com perneiras e capas a tiracolo.

Imediatamente os dois se misturaram aos baixo-itália para convencê-los a pôr todas as cobertas juntas e se acomodarem com aqueles quatro já deitados. Os jovens eram dois veneza que emigravam para a França, e fizeram o pessoal do mercado negro se levantar e rearranjar as cobertas de modo que todos coubessem ali. Estava claro que tudo era uma manobra para poderem tocar os seios e as bundas daquelas duas garotas semiadormecidas, mas no final todos se ajeitaram, inclusive a mais velha dos contrabandistas, que não se movera porque estava com a cabeça daquele homem que dormia em seu seio. Obviamente os dois veneza se enfiaram entre as garotas, deixando de lado o baixo-itália; mas, se agitando sob aquelas cobertas e capas, conseguiam alcançar com as mãos as outras mulheres.

Alguns já roncavam, mas o baixo-itália não conseguia dormir, mesmo com todo o sono que o esmagava. O amarelo ácido daquela luz o perseguia até sob as pálpebras, até debaixo da mão que lhe tapava os olhos; e o grito desumano dos alto-falantes: ... expresso... plataforma... partida... o mantinha em permanente inquietação. Além disso precisava urinar, mas não sabia aonde ir e tinha medo de se perder naquela estação. Acabou decidindo acordar um deles e começou a sacudi-lo: era aquele desgraçado que dormia ali desde o início.

— A latrina, compadre, a latrina — dizia, e o puxava pelo cotovelo, já sentado em meio àquela extensão de corpos enrolados.

O homem que dormia acabou se pondo sentado de supetão e arregalou os olhos vermelhos enevoados e a boca pastosa para aquela cara inclinada sobre ele, aquela pequena cara de gato, enrugada e com bigode preto.

— A latrina, compadre... — dizia o baixo-itália.

O outro continuava atônito e olhava ao redor com assombro. Os dois ficaram se olhando de boca aberta, ele e o baixo-itália. O que sempre dormia não estava entendendo nada: descobriu o rosto daquela mulher, no chão debaixo dele, e a encarava cheio de terror. Talvez estivesse a ponto de dar um berro. Depois, de repente, tornou a afundar a cabeça no seio da mulher e recaiu no sono.

O baixo-itália se levantou pisando em dois ou três corpos e começou a dar passos vacilantes pelo grande átrio luminoso e frio. Para lá das vidraças se viam o escuro límpido da noite e paisagens de ferro, geométricas. Viu um moreninho mais baixo que ele de boina e com a roupa amassada, que se aproximava com ar distraído.

— A latrina, compadre — perguntou o baixo-itália, suplicante.

— Americanos, suíços — fez o outro, que não tinha entendido, mostrando um maço.

Era Belmoretto, que ganhava a vida ao redor das estações e não tinha nem casa nem cama na face da terra, e de vez em quando pegava um trem e mudava de cidade, aonde o levavam seus precários comércios de tabaco e gomas de mascar. À noite, terminava se agregando a algum grupo de gente que dormia nas estações aguardando as conexões, conseguia deitar umas horas sob uma coberta; se não, esperava amanhecer dando voltas, a menos que topasse com algum velho invertido que o levava para casa e o fazia tomar banho, lhe dando de comer e se deitando com ele. Belmoretto também era um baixo-itália e foi muito gentil com o velhote de bigode preto; o levou até a latrina e esperou que terminasse de urinar para acompanhá-lo de volta. Ofereceu-lhe um cigarro, e os dois juntos fumavam e viam com os olhos ardendo de sono os trens partindo, e embaixo, no átrio, o amontoado dos que dormiam no chão.

— Dormindo feito cães — disse o baixo-itália. — Seis dias e seis noites que não vejo uma cama.

— Uma cama — disse Belmoretto —, às vezes sonho com isso, uma cama. Uma bela cama branca, toda para mim.

O baixo-itália voltou para dormir. Ergueu uma coberta para abrir espaço e viu a mão de um veneza enfiada entre as pernas de sua filha. Ele também meteu a mão para tirá-lo dali, e a carne da filha fez um movimento mole, e o veneza achou que o amigo também queria apalpar um pouco e o enxotou com um soco. O baixo-itália ergueu o punho sobre ele e começou a praguejar. Os outros gritaram que assim não era possível dormir, e o baixo-itália passou por cima deles com os joelhos para voltar ao seu lugar e se enfiou sob a coberta, humilhado. Tinha frio e se encolheu todo: ainda sentia em torno de sua mão a quentura que havia debaixo das saias da filha. E teve vontade de chorar.

Nesse momento, todos sentiram um corpo estranho que se intrometia no meio deles, como um cão que escavava sob as cobertas. Uma mulher gritou. Imediatamente houve uma agitação para tirar as cobertas de cima e ver o que era. No meio deles descobriram Belmoretto, que já roncava dobrado como um feto e sem sapatos, com a cabeça debaixo de uma saia e os pés enfiados numa outra. Foi acordado com murros nas costas:

— Desculpem — disse —, não queria incomodar.

Mas agora todos estavam acordados e praguejavam, exceto aquele primeiro, que babava.

— Aqui estamos arrebentando os ossos, aqui nossas costas

estão congelando — diziam. — Aqui seria preciso quebrar aquela luminária, cortar o fio do alto-falante.
— Se quiserem, lhes ensino como fazer o colchão — disse Belmoretto.
— Colchão — repetiam os outros —, colchão.
Mas Belmoretto já estava separando algumas cobertas e começava a dobrá-las como um acordeão, usando aquele sistema que qualquer um que tenha estado na prisão conhece. Disseram a ele que parasse, porque as cobertas não seriam suficientes e alguém acabaria ficando sem nada. Então falaram de um inconveniente: sem alguma coisa debaixo da cabeça não era possível dormir, e nem todos tinham algo, porque as cestas dos baixo-itália não serviam. Então Belmoretto arquitetou outro sistema, de modo que cada homem apoiasse a cabeça numa nádega ou numa coxa de mulher; era algo bem complicado por causa das cobertas, mas no final todos se ajeitaram em seu lugar e disso resultaram novas combinações. No entanto, depois de um tempo, tudo se embaralhou de novo porque não conseguiam ficar parados; então Belmoretto achou um jeito de vender cigarros Nazionali a todos, e se puseram a fumar e a contar quantas noites fazia que não dormiam.
— Nós já estamos viajando há vinte dias — disseram os veneza —, tentamos atravessar essa fronteira fodida três vezes e nos mandam de volta. Na França, a primeira cama que aparecer é nossa, e vamos dormir quarenta e oito horas seguidas.
— Uma cama — disse Belmoretto — com lençóis bem limpos e um colchão de plumas onde afundar. Uma cama estreita e quente, só para mim.
— E o que dizer de nós, que sempre levamos essa vida? — disse o do mercado negro. — Chegamos em casa, passamos uma noite na cama e depois voltamos para os trens.
— Uma cama com lençóis bem limpos, quente — disse Belmoretto. — Nu, eu me deitaria nela nu.
— Seis noites que não tiramos a roupa — disseram as baixo--itália —, que não trocamos a roupa íntima. Seis noites dormindo feito cães.

— Eu entraria na casa como um ladrão — disse um veneza —, mas não para roubar. Para me meter numa cama e dormir até de manhã.

— Ou então roubar uma cama e trazê-la aqui para dormir — disse o outro.

Belmoretto teve uma ideia. — Esperem aqui — disse, e foi embora.

Perambulou um tempo sob os pórticos até que encontrou Maria, a Louca. Maria, a Louca, passava a noite sem achar um cliente e não comia no dia seguinte, por isso não desistia nem de madrugada e continuava para cima e para baixo pelas calçadas até amanhecer, com os cabelos vermelhos parecendo estopa e as panturrilhas bojudas. Belmoretto era muito amigo dela.

No acampamento da estação continuavam discutindo sobre sono e camas e sobre dormirem feito cães, esperando que o escuro das vidraças clareasse. Não tinham passado nem dez minutos e lá estava Belmoretto, que chega com um colchonete enrolado nos ombros.

— Deitem — disse, estendendo-o no chão —, turnos de meia hora, cinquenta liras, cabem até dois por vez. Deitem, o que são vinte e cinco liras por cabeça?

Havia alugado um colchonete de Maria, a Louca, que tinha dois em sua cama e agora o sublocava por meia hora. Outros viajantes sonolentos que aguardavam as conexões se aproximaram, interessados.

— Deitem — dizia Belmoretto. — Eu cuido do despertador. Jogamos uma coberta por cima e *vualá*, que ninguém vê vocês e podem até fazer filhos. Deitem.

Um veneza foi o primeiro a experimentar, junto com uma das garotas baixo-itália. A mais velha do mercado negro reservou o segundo turno para ela e para aquele pobre homem que dormira sobre si. Belmoretto já havia sacado um caderninho e marcava as reservas, todo contente.

Ao alvorecer, devolveria o colchonete para Maria, a Louca, e juntos dariam cambalhotas na cama até tarde da manhã. Depois, finalmente, adormeceriam.

DESEJO EM NOVEMBRO

O frio chegou à cidade numa manhã de novembro, com um sol mentiroso suspenso num céu hipocritamente tranquilo e desanuviado, e se dividiu pelas ruas compridas e retas como em várias lâminas, fazendo os gatos fugirem das calhas e se entocarem nas cozinhas ainda apagadas. As pessoas que levantavam tarde e não abriam as janelas tinham saído com casacos leves, repetindo: — Neste ano o inverno está atrasado —, e tiritaram ao respirar o ar gelado. Depois pensaram na provisão de carvão e lenha, acumulada desde o verão, e se congratularam com a própria previdência.

Para os pobres foi um dia ruim, porque já não podiam adiar os problemas que vinham deixando de lado até então: o aquecimento, o vestuário. Nos jardins, de olho nos magros plátanos, rapazes magros e compridos foram vistos circulando e se esquivando dos guardas, com serras escondidas por baixo dos capotes remendados. Sob o cartaz de uma obra de beneficência que anunciava a distribuição de malhas e roupas íntimas para o inverno havia um agrupamento de gente que lia.

Os assistidos por uma certa paróquia deviam ir retirar as coisas na casa de Don Grillo. Don Grillo morava numa velha construção de escadas estreitas e sem vão: a porta de seu apartamento dava diretamente para os degraus, com uma beirada de patamar que mal se notava. Nos dias de distribuição, era nesses degraus que os pobres se postavam em fila e batiam um a um na porta fechada, entregando a uma criada calva e lacrimosa certificados e cupons; e na escada esperavam que a criada retornasse com a trouxa miserável. Dentro se entrevia um cômodo com móveis carcomidos e velhos, e o enorme Don Grillo de voz cavernosa e bonachona que, sentado atrás de uma mesa atulhada de trouxas, ia marcando tudo nos registros.

A fila às vezes se estendia pelas quinas da escada abaixo: viúvas decaídas que nunca saíam de seus sótãos, mendigos que tossiam feio, tipos maltrapilhos vindos do campo que pisavam nos degraus com solas cravejadas, rapazes magros e despenteados — emigrados sabe-se lá de onde — com sandálias de inverno e impermeáveis de verão. Às vezes esse rastro lento e disforme se prolongava para além do mezanino, onde se abria a porta envidraçada da pelicaria "Fabrizia". E as senhoras elegantes que iam à "Fabrizia" ajustar seus visons ou o astracã precisavam passar rente ao corrimão para não roçar nos esfarrapados.

No dia em que estavam distribuindo camisas e ceroulas na casa de Don Grillo, veio se meter na fila um homem nu. Era um velho carregador, alto e robusto, com um barbão rajado de mechas ainda louras. Por cima trazia um sobretudo militar e por baixo, nada. Estava todo abotoado e embrulhado, mas as canelas estavam nuas e terminavam num par de botinas sem meias. As pessoas olhavam para baixo e ficavam boquiabertas, e ele ria e zombava delas. Tinha dois grandes olhos risonhos e azuis sob uma franja de cabelos brancos que lhe descia da testa, e de vez em quando ia parar na prisão ou no asilo de velhos, mas depois de um tempo o liberavam da cadeia, e do asilo ele escapava e perambulava pela cidade e por vilarejos, vagabundeando ou labutando por jornada aqui e ali. Não ter roupas poderia ser uma boa desculpa para pedir esmolas ou para ser trancafiado na cadeia, quando não tinha lugar melhor para ir. Mas o frio daquela manhã o convencera a ir pegar alguma roupa, e por isso circulava nu, apenas com aquele sobretudo, assustando as garotas e sendo parado pelos guardas a cada cruzamento, enquanto ia de uma obra de caridade a outra.

Quando chegou, só se falava dele na fila das escadas. E ele

a pelejar e a fazer caso e a tentar todos os truques para passar na frente.
— Sim, sim, estou nu! Estão me vendo? Não só as pernas! Querem que eu desabotoe? Vamos, ou me deixam passar na frente ou desabotoo! Frio coisa nenhuma! Nunca me senti tão bem! Quer tocar para ver se estou quente, madame? O padre só dá ceroulas? E o que é que eu faço com isso? Vou pegar e vender tudo!
Acabou se sentando na fila, no degrau de um patamar que era justamente o da loja de peliças "Fabrizia". Senhoras iam e vinham ostentando seus casacos nos primeiros dias frios. — Ah! — gritavam, vendo as pernas nuas do velho sentado.
— Não chame os guardas, madame, já me prenderam e me mandaram aqui para ver se me arranjam umas roupas. De todo modo, não dá para ver nada, não façam tanto escândalo.
As senhoras passavam depressa, e Barbagallo se sentia roçado pelas macias abas cheirando a naftalina e lírio-do-vale. — Belo casaco, madame, impecável, deve fazer calor aí embaixo.
A cada senhora que passava, ele esticava a mão e acariciava a peliça. — Socorro! — gritavam. Ele esfregava o rosto nelas feito um gato.
Na "Fabrizia" houve uma discussão; nenhuma cliente ousava mais sair. — Devemos chamar os guardas? — se perguntavam. — Mas se o mandaram aqui para que se vista! — De vez em quando abriam uma fresta: — Ainda está lá? — Uma vez ele meteu a cabeça barbuda na fresta, sempre sentado: — Uh! — Por pouco não desmaiaram.
Por fim Barbagallo se decidiu: — Vamos lá conversar. — Levantou-se e tocou na "Fabrizia". Abriram duas funcionárias, uma pálida que era só joelhos e uma mocinha de tranças pretas.
— Chamem a madame.
— Vá embora — fez a pálida. Mas Barbagallo não a deixava fechar.
— Vá lá você e a chame — disse à outra. Ela deu meia-volta e foi. — Muito bem — disse Barbagallo.

A dona da loja apareceu com as clientes. — Quanto me dão se eu não desabotoar? — falou o carregador.
— O quê?
— Vamos, deixem de história. — Com uma mão, começou a desabotoar a partir do colarinho, mantendo a outra tesa. As mulheres começaram a procurar trocados nas bolsinhas e a dar para ele. Uma matrona toda cheia de joias parecia não encontrar trocados e o observava com olhos gordos e maquiados. Barbagallo parou de se desabotoar. — Então: quanto me dá se eu desabotoar?
— Ha, ha, ha — gargalhou a funcionária de tranças.
— Linda! — gritou a patroa.
Barbagallo embolsou os trocados e saiu. — Tchau, Linda — disse.
Na fila correra o boato de que não havia roupa suficiente para todos.
— Primeiro para mim, que estou nu! — fez Barbagallo, e conseguiu se posicionar à frente.
Na soleira a criada juntou as mãos: — Sem nada embaixo? Como é possível! Espere, não, não entre!
— Me deixe passar, governanta, ou vai ser tentada pelo pecado. Onde está o reverendo?
Entrou no apartamento do padre, entre sagrados corações sangrentos em molduras barrocas, gaveteiros altíssimos e crucifixos espalhados pelas paredes como pássaros pretos. Don Grillo se ergueu da escrivaninha e começou com uma grande risada:
— Ho, ho, ho! E quem o arrumou desse jeito? Ho, ho, ho!
— Diga, padre, hoje é o dia das camisas, mas eu estou aqui pelas calças. Tem alguma?
O padre se jogou de novo na poltrona de espaldar alto e ria desbragadamente, de barriga para cima: — Não, não, ho, ho, ho, não tenho nenhuma...
— Não estou lhe pedindo uma das suas... Isso quer dizer que vou ficar aqui até que o senhor telefone ao bispo e me consiga uma.

— Aqui, aqui, meu filho, vá ao arcebispado, ao arcebispado, ho, ho, ho, eu lhe dou um bilhete...
— Um bilhete. E as camisas?
— Sim, sim, ho, ho, ho, vamos ver aqui, meu filho.
E começou a espalhar combinações de malhas e ceroulas compridas, mas não achava uma medida grande o bastante para Barbagallo. Quando acharam a maior combinação que havia, Barbagallo disse: — Agora vou me vestir. — A criada escapou bem a tempo para o patamar da escada, antes que ele tirasse o sobretudo.
Ao ficar nu, Barbagallo fez um pouco de flexões, só para se aquecer, e então começou a vestir a roupa de baixo. Don Grillo não parava de rir ao ver aquele homem de cabeça garibaldina apertado do pescoço até os pulsos e os tornozelos em malha e ceroulas justíssimas, com as botinas nos pés.
— Iiih! — gritou Barbagallo, e se pôs num canto como se tivesse levado um choque.
— O que foi, o que foi, meu filho?
— Está me pinicando, me pinicando o corpo inteiro... Que raio de malha o senhor me deu, reverendo? Estou me coçando todo...!
— Ora, ora, é nova, sabe como é, depois a gente se habitua.
— Ai, minha pele é delicada, tinha me habituado a ficar nu... Ai, como me pinica. — E se contorcia para coçar as costas.
— Ora, ora, basta lavar uma vez e ela fica macia como uma seda... Agora vá ao endereço que lhe dei, lá eles vão providenciar uma roupa para você, vamos. — E o empurrava para a porta, fazendo-o recolocar o capote.
Barbagallo já não opunha mais resistência: era um derrotado. Fecharam a porta nas suas costas. Começou a descer curvado, se lamentando, se apalpando, e todos que ainda estavam na fila lhe perguntavam: — O que fizeram com você! Bateram em você? Que coragem! Um padre bater num velho! Porém, que bela ceroula! — e olharam suas canelas embainhadas na flanela branca.
Barbagallo parecia ter envelhecido uns dez anos, os olhos

azuis inchados de lágrimas. Estava indo embora. Passou em frente à porta da pelicaria. Subitamente se virou, parou de se lamentar, bateu na porta.

A funcionária de tranças pôs a cabeça na entrada. — Mas... — disse.

— Veja — disse Barbagallo com um sorriso na cara ainda chorosa, e indicou as ceroulas brancas nos tornozelos.

E a moça disse: — Oh...

Ele já havia entrado. — Chame a madame, vamos! — A garota saiu. Com um salto, Barbagallo se escondeu em uma saleta lateral e se fechou ali dentro à chave.

A sra. Fabrizia veio, não o encontrou e voltou balançando a cabeça: — Por que não mantêm os loucos trancafiados, eu não sei...

Assim que girou a chave na fechadura, Barbagallo arrancou o capote de cima, a malha, os sapatos, a ceroula e respirou feliz, finalmente nu. Viu-se refletido em um grande espelho, contraiu os músculos, fez flexões. Não havia aquecimento ali e fazia um frio dos diabos, mas ele estava mesmo satisfeito. Então começou a olhar ao redor.

Tinha se trancado no depósito de Fabrizia. Penduradas em um longo cabide estavam todas as peles em fila.

Os olhos do velho carregador brilharam de alegria. Peliças! Começou a passar a mão de uma para outra, como se tocasse uma harpa; depois se esfregou nelas com um ombro, com o rosto. Havia visons cinzentos e dissimulados, astracãs de uma abandonada maciez, raposas prateadas como nuvens herbosas, *petit-gris* e martas muito tênues e fugidias, castores castanhos, sólidos e conciliadores, *lapin* afáveis e dignos, cabritos brancos malhados com um farfalhar seco, leopardos de uma carícia arrepiante. Barbagallo se deu conta de que estava batendo os dentes de frio. Então pegou uma jaqueta de carneiro e a provou: caía como uma luva. Com uma raposa cingiu os quadris, usando a cauda fulva como uma cinta. Depois se cobriu numa pele de zibelina que devia ter sido feita para uma mulher imensa, capaz de envolvê-lo maciamente. Também achou um par de

botas forradas de castor, e ainda um belo colbaque: estava muito bem, só mais uma luva comprida e pronto, tudo certo. Aqueceu-se diante do espelho por um tempo: não conseguia mais distinguir o que era barba e o que era pelo de animal.
O cabide ainda estava repleto de peliças. Barbagallo as jogou no chão uma por uma, até que armou debaixo de si um leito amplo e felpudo onde podia afundar. Então se deitou e deixou cair sobre si todas as peliças que restavam, numa avalanche. Fazia um calor tão bom que seria um pecado dormir, de tão delicioso que era se aquecer ali, mas o velho carregador resistiu pouco e mergulhou num sono sereno e sem sonhos.
Acordou e viu a noite na janela. Tudo em volta era silêncio. Claro, a loja estava fechada e sabe-se lá como ele sairia dali. Apurou os ouvidos: teve a impressão de escutar um som de tosse no cômodo ao lado. Pela fresta entrava uma luz.
Ergueu-se enfeitado de visons, raposas, antílopes e colbaques e abriu a porta lentamente. À luz de uma lâmpada, a funcionária de tranças pretas estava costurando inclinada sobre uma mesinha. Devido ao valor da mercadoria guardada no depósito, a sra. Fabrizia contratara a jovem para dormir em uma caminha na oficina, de modo que pudesse soar o alarme em caso de furto.
— Linda — disse Barbagallo. A garota arregalou os olhos e viu na penumbra aquele gigantesco urso humano de braços cruzados, em mangas de astracã. Disse: — ... Belíssimo...
Barbagallo deu uns passos para a frente e para trás, pavoneando-se como um manequim.
Linda disse: — ... Mas agora eu vou ter de chamar a polícia.
— A polícia! — Barbagallo ficou mal. — Mas eu não estou roubando nada. O que vou fazer com isto? É óbvio que não posso andar assim pelas ruas. Só vim aqui para tirar a malha que me pinicava.
Concordaram que ele passaria a noite ali e sairia antes do amanhecer. Aliás, Linda conhecia um sistema de lavar roupa de modo que ela não pinicasse, e ela a lavaria para ele.
Barbagallo a ajudou a torcê-la e a esticar uma corda para

estendê-la perto de uma pequena estufa elétrica. Linda tinha umas maçãs, e eles as comeram juntos.

Depois Barbagallo disse: — Vamos ver como você fica com esses casacos. — E a fez provar todos, em todas as combinações, com as tranças e com os cabelos soltos, e depois trocaram opiniões sobre a maciez dos vários tipos sobre a pele nua.

Por fim, construíram uma cabana toda de peliças, grande o suficiente para caberem duas pessoas deitadas, e entraram ali para dormir.

Quando Linda acordou, ele já havia levantado e estava vestindo a malha e as ceroulas. Da janela entrava o alvorecer.

— A roupa já está seca?
— Um pouco úmida, mas eu preciso ir.
— Ainda pinica?
— Que nada, estou como um papa.

Ajudou Linda a reorganizar todo o depósito, envergou o capote militar e a cumprimentou na saída.

Linda ficou a olhá-lo enquanto ele se afastava, com a faixa branca das ceroulas entre o capote e as botinas, e a cabeleira altiva no ar frio da aurora.

Barbagallo não tinha a intenção de ir ao arcebispado buscar a roupa: tivera a ideia de perambular pelas praças dos vilarejos em combinação de malha, fazendo exercícios de exibição de força.

ENFORCAMENTO DE UM JUIZ

Naquela manhã o juiz Onofrio Clerici notou um ar diferente no ir e vir das pessoas. Atravessava todos os dias a cidade em uma magra carruagem, da casa até o Palácio de Justiça, e embaixo a gente atravancava as calçadas, com aquele cansado esquivar-se de ombros caídos, com aquelas aglomerações em torno das vendedoras de castanhas assadas vestidas de preto, com os gritos dos cegos: loteria... milhões... e uma surda batida de cadernos nas pastas quadradas dos estudantes e repolhos e salsões roídos por caracóis despontando das sacolas de compra.

Hoje parecia que algo diverso movia aquela gente miúda: do canto das pálpebras surgiam frios triângulos do branco do olho, e entre os lábios, os dentes. E os casacos e xales marcavam mais nítidos os contornos angulosos dos ombros caídos; e a margem dos queixos avançava pelas bordas das malhas e pelas golas; e o juiz Onofrio Clerici sentia crescer sobre si uma sensação de mal-estar.

Já havia semanas os sinais de giz nos muros de sua casa vinham aumentando e se adensando, sinais de forcas e de homens pendurados em forcas, e os homens pendurados tinham sempre o barrete alto dos juízes, cilíndrico e largo no alto, com uma borla redonda. Há tempos o juiz Onofrio Clerici se dera conta de que a gente o odiava e rumorejava na sala de sentenças, e as viúvas durante os testemunhos gritavam mais contra ele do que contra os réus nas jaulas; mas ele estava seguro daquilo que fazia, e também os odiava, essa gentinha ordinária, incapaz de responder em tom adequado durante os testemunhos, incapaz de se sentar de forma respeitosa no tribunal, essa gentinha sempre carregada de filhos e de dívidas e de ideias tortas: os italianos.

Há tempos o juiz Onofrio Clerici tinha entendido quem são os italianos: mulheres sempre grávidas com crianças perebentas nos braços, rapazotes de rostos azulados que, se não fosse a guerra, na certa estariam desempregados ou vendendo cigarro nas estações; velhos com asma e hérnia, e as mãos tão cheias de calos que nem conseguiam segurar uma caneta para assinar um depoimento — uma raça de descontentes, lamuriosos e briguentos, que se não estiverem na corda curta vão querer tudo para si, e se instalariam em toda parte, arrastando seus fedelhos perebentos e suas hérnias, e pisando nas cascas de castanha nas vias públicas.

Por sorte existiam eles, a raça das pessoas de bem, uma raça de pele lisa e flácida, de pelos no nariz e nas orelhas, de nádegas estáveis como fundações sobre as poltronas estofadas, uma raça tilintante de honrarias, condecorações, colares, pincenê, monóculos, aparelhos acústicos, dentaduras; uma raça crescida por séculos sobre as poltronas barrocas das chancelarias de antigos reinados; uma raça que sabe fazer leis e aplicá-las e fazer com que sejam respeitadas na medida de seus interesses; uma raça ligada por um entendimento secreto, por uma descoberta comum: a de que os italianos são uma gentalha nojenta e que se estaria melhor na Itália se os italianos não existissem, ou pelo menos se não fizessem tanto barulho.

O juiz Onofrio Clerici chegou ao Palácio de Justiça, que era velho e estava meio desmantelado por bombardeios passados, sustentado por escoras de traves apodrecidas, com o reboco descascado e os frisos barrocos do frontão destruídos. Uma multidão contida pelos guardas se aglomerava diante do portão fechado, como sempre ocorria nos julgamentos. Agora se torna-ra um hábito reservar o espaço do público a parentes e amigos do acusado, e a pessoas de todo modo confiáveis e respeitosas;

no entanto, toda vez alguém da multidão conseguia se intrometer na sala e achar um lugar nos bancos do fundo, perturbando a audiência com protestos e psius. Os outros ficavam do lado de fora, parados, fazendo confusão com manifestos e ameaças, alguns até erguendo cartazes; e o rumor que faziam chegava de tanto em tanto à sala de audiência, irritando o juiz Onofrio Clerici e consolidando seu ódio em relação àqueles italianos tão petulantes e intrometidos em coisas que não entendiam.

Mas naquele dia a multidão estava insolitamente calada e bem-comportada, e dela não se ergueu aquele murmúrio hostil ao ver o juiz Onofrio Clerici descer da trôpega carruagem e entrar no Palácio de Justiça por uma porta lateral.

Dentro do Palácio de Justiça a sensação de incômodo se abrandou no coração do juiz: todos ali eram pessoas amigas, juízes, procuradores e advogados, gente da raça das pessoas de bem, com um sorriso engolido nos cantos da boca e uma palpitação nos lados da garganta como brânquias de rã. Eram gente pacata e tranquila: no governo e em todos os cargos do Estado havia gente como eles, de pálpebras caídas e gargantas de rã, e pouco a pouco os italianos petulantes recuperariam o juízo e se resignariam às crostas e hérnias que suportavam havia séculos.

Esperando o início da sessão, enquanto a corte se enfiava em suas capas pretas, um advogado cheio de verrugas no rosto sacou do bolso um jornal todo contra os italianos, mostrando às gargalhadas para os outros homens da lei desenhos grotescos, em que os italianos eram representados como pessoas canhestras e monstruosas, com bonés de viseira e ridículos bastões. Apenas um deles não ria ao ver os desenhos: era o novo secretário, um velhinho com cabeça em formato de pinha, de aparência dócil e respeitosa: os magistrados um a um viravam os olhos congestionados de riso para o rosto tristonho e rugoso dele, e o riso murchava em suas gargantas de rã. "Não é bom confiar nesse tipo", pensou o juiz Onofrio Clerici.

Então a corte entrou para o julgamento. Os processos que o juiz Onofrio Clerici presidia naquela época não eram os habituais processos contra três ou quatro mortos de fome flagrados em algum furto. Eram processos contra gente que tinha prendido e fuzilado italianos nos tempos de uma guerra que havia passado, e o juiz Onofrio Clerici, pelo que se ouvia contar sobre seus casos, tinha a convicção de que eram pessoas respeitáveis, gente que seguia as próprias ideias, gente que ainda era necessária para manter na linha esses italianos tronchos, sempre macilentos e maltrapilhos, sempre com a fome nos ossos e novas lamúrias nos lábios.

Mas o juiz Onofrio Clerici tinha as leis nas mãos, leis sempre feitas por eles, por homens com gargantas de rã, mesmo quando pareciam feitas por conta desses pobres-diabos italianos; sabia que as leis podem ser reviradas como se quiser, e chamar o branco de preto e o preto de branco. Assim absolvia a todos, e depois dos julgamentos a multidão ficava na praça inquieta até tarde da noite, e mulheres de luto choravam em altos gritos seus homens enforcados.

Tomando lugar em seu assento, o juiz Onofrio Clerici examinou o público: parecia tudo gente confiável, gente de dentes compridos e salientes, envergando coletes engomados que raspavam os cangotes, sobrancelhas pousadas sobre narizes de aves de rapina, e senhoras de pescoços ossudos e amarelos que sustentavam chapéus guarnecidos de tule. Porém, aguçando o olhar, o juiz notou que toda a última fila de bancos estava ocupada por uma gentinha que se infiltrara contrariando as disposições: moças pálidas com tranças, mutilados de queixo apoiado em muletas, homens de olhos celestes circundados de rugas, anciãos com as hastes dos óculos emendadas por cordões, velhinhas enroladas em xales. Essa última fila de bancos ficava um pouco afastada da penúltima, e aqueles intrusos estavam sentados imóveis, de braços cruzados, olhando bem na cara dele, o juiz.

Aquele aperto de mal-estar se tornava ainda mais agudo no coração do juiz Onofrio Clerici. Dois guardas estavam nas laterais da mesa da corte, postos ali sem dúvida para protegê-los daqueles desesperados: mas tinham uma expressão diferente da dos guardas costumeiros, um rosto pálido e melancólico, com mechas de cabelo louro presas pelas bordas dos quepes. Além disso, aquele secretário que parecia escrever por conta própria, sempre inclinado sobre a mesa.

O imputado já estava na jaula, impassível, com uma roupa limpa e bem passada. Tinha cabelo grisalho ajeitado com zelo, que começava baixo acima dos olhos e dos zigomas; e pupilas claríssimas, que pareciam apagadas nas órbitas um tanto avermelhadas das pálpebras sem cílios nem sobrancelhas; os lábios eram túmidos, mas da mesma cor da pele; quando os abria, mostrava incisivos grandes e quadrados. Sob a pele raspada tinha uma sombra como de mármore. As mãos, agarradas com gesto calmo nas barras, tinham dedos grossos e achatados como timbres.

Começou a audiência. As testemunhas eram a gentinha de sempre, cheia de lamúrias: gritavam, em especial as mulheres, apontando o braço contra as barras: — É ele... eu vi com meus próprios olhos... falou: agora vocês vão ter o que merecem, bandidos... filho único, meu Gianni... ele disse assim: não quer falar, então tome, cachorro...

Gente que não sabe prestar depoimentos como se deve, pensava o juiz Onofrio Clerici, gente confusa, indisciplinada e desrespeitosa: no fim das contas, aquele homem na jaula tinha sido seu superior, e aquela gente não lhe tinha obedecido. Agora lhes dava uma lição de controle, impassível naquela jaula, olhando-os com aquelas pupilas sem cor, sem negar, com um leve ar de tédio.

O juiz Onofrio Clerici invejava sua calma. Aquela sensação de mal-estar ia crescendo nele. Do lado de fora, golpes de martelo de operários que trabalhavam no pátio do Palácio de Justiça o deixavam nervoso. Aos poucos, a visão do amontoado de cadáveres na praça surgia nitidamente aos olhos do juiz Onofrio Clerici; e ele interrogava com meticulosidade e rigor, para reconstituir a cena em seus detalhes mais ínfimos. Os mortos tinham ficado na praça um dia e uma noite, sem que ninguém pudesse se aproximar deles; Onofrio Clerici pensava naqueles corpos amarelos e ossudos na imundície de seus trapos ensopados de sangue grumoso, com varejeiras pretas que pousavam em seus lábios, nos narizes. O público da última fila continuava calmo, sabe-se lá por quê; e o juiz Onofrio Clerici, para vencer a sujeição que eles lhe incutiam, tentou imaginá-los mortos e empilhados, de olhos abertos como buracos e vermes de sangue sob as narinas.

— Então ele se aproximou dos nossos mortos — disse uma das testemunhas, um velho barbudo e encurvado —, eu vi bem: e parou na frente deles; e fez exatamente isto com nossos mortos, assim como tenho nojo de fazer com ele: escarrou.

O juiz Onofrio Clerici via aqueles mortos italianos já amarelados, umbigos lívidos descobertos, saias levantadas sobre as pernas ossudas, e sentia a saliva subir até seus lábios. Olhou os lábios do imputado, salientes e pálidos: o despontar de uma pérola de saliva entre aqueles lábios seria lindo, quase se sentia uma secreta necessidade disso. Sim, ao se recordar, o imputado entreabria os lábios, e eis que sobre os incisivos grandes e quadrados uma leve espuma surgia; oh, como o juiz entendia o nojo do imputado, o asco que o levara a escarrar sobre aqueles mortos.

O defensor fazia sua arenga: era aquele homenzinho baixo e barrigudo, cheio de verrugas na cara, que tanto se divertia com as caricaturas da gente pobre. Louvou os méritos do imputado, sua atividade de funcionário zeloso, todo dedicado à tutela da ordem: considerados todos os atenuantes, pediu o mínimo dos anos de pena.

O juiz Onofrio Clerici não sabia para onde olhar durante a arenga. Se pousava os olhos no público, logo ficava nervoso ao ver aqueles italianos ao fundo, de olhos interminavelmente abertos sobre ele. E aquele martelar e transportar de tábuas que não acabava nunca, lá fora... Agora, para além das janelas, via-se uma corda e duas mãos que a desenrolavam, como para verificar seu comprimento. Para que poderia servir aquela corda?

Agora o Ministério Público falava. Era um homem de ossos longos, que se apoiava nas arestas salientes dos quadris e alargava mandíbulas caninas atravessadas por fios de baba. Começou a falar da necessidade de se fazer justiça contra os tantos crimes cometidos naqueles tempos e de punir os verdadeiros culpados; depois acrescentou que o imputado não era certamente um destes e que não podia fazer senão o que havia feito. Terminou pedindo a metade da pena demandada pelo defensor.

O público das primeiras filas aplaudiu, com um estranho rumor de ossos e tapas no traseiro. O juiz Onofrio Clerici pensava: agora os que estão no fundo vão gritar. Mas permaneciam sempre imóveis e atentos, não dava para entender o que se passava com eles.

A corte se retirou para deliberar na saleta contígua. De uma janela da saleta se via bem o pátio, e por fim o juiz Onofrio Clerici pôde compreender o trabalho que haviam feito lá fora com aquelas traves e aquela corda. Uma forca: tinham construído uma forca bem no meio do pátio; agora estava concluída e se assentava ali, magra e escura com o nó corrediço pendurado; os operários tinham ido embora.

"Estúpidos e ignorantes", pensou o juiz Onofrio, "creem que o imputado será condenado à morte, por isso construíram uma forca. Mas eu vou mostrar a eles!" E, para lhes dar uma lição, propôs à corte, por meio de cavilações jurídicas que só ele conhecia, que o imputado fosse absolvido. A corte aprovou a proposta por unanimidade.

À leitura da sentença o mais emocionado era o juiz. Ninguém piscou o olho, nem o imputado com os dedos de timbre agarrados às barras, nem o público de bem, nem os intrusos. Aquelas moças pálidas e de tranças, aqueles mutilados, aquelas velhas em xales estavam em pé, de cabeça erguida, com um coro de olhares flamejantes.

O secretário se aproximou a fim de que o juiz assinasse a sentença; parecia, pela humilde tristeza com que lhe submetia a papelada, estar levando para firmar uma condenação de morte. Os papéis: porque sob o primeiro havia um segundo, do qual o secretário só descobriu a margem de baixo, fazendo o outro deslizar por cima. E o juiz assinou este também. Tinha sobre si os olhares flamejantes dos óculos com cordões, dos olhos celestes enrugados. O juiz suava.

Pronto, agora o secretário deslizava o primeiro papel para fora e ali estava; debaixo, no segundo papel, o juiz Onofrio Clerici leu: Onofrio Clerici, juiz, réu por ter insultado e escarnecido por muito tempo de nós, italianos pobres, é condenado a morrer enforcado como um cão. Embaixo, ele mesmo havia firmado.

Os dois guardas louros de rostos tristes se postaram a seu lado. No entanto, não o tocaram.

— Juiz Onofrio Clerici — disseram. — Venha conosco.

O juiz Onofrio Clerici se virou. Os guardas, um de cada lado e sem tocá-lo, o conduziram por uma portinha até o pátio deserto, aos pés da forca.

— Suba ao cadafalso — disseram.

Mas não o empurravam. — Suba — disseram. Onofrio Clerici subiu.

— Coloque a cabeça no laço — disseram.

O juiz enfiou a cabeça no laço com o nó corrediço. Eles quase não o olhavam.

— Agora dê um chute no banco — disseram, e se retiraram.

O juiz Onofrio Clerici derrubou o banco e sentiu a corda se fechar ao redor do pescoço, a garganta se contrair feito um punho, lhe arrebentando os ossos. E os olhos, como grandes lesmas negras, lhe saíam da cavidade das órbitas, quase como se a luz que buscavam pudesse se converter em ar, e enquanto isso a escuridão se adensava nas pilastras do pátio deserto; deserto porque aquela gentinha italiana nem sequer tinha ido vê-lo morrer.

O GATO E O POLICIAL

Havia algum tempo tinham começado na cidade as batidas em busca de armas escondidas. Os policiais montavam nos caminhões com os capacetes de couro na cabeça, que lhes davam uma fisionomia uniforme e desumana, e saíam pelos bairros populares ao som de sirenes, rumo a alguma casa de pedreiro ou operário, revirando roupa íntima nas gavetas e desmontando tubulações de estufas. Naqueles dias, uma angústia dolorosa tomava o ânimo do agente Baravino.

Baravino era um desempregado que havia pouco se alistara na polícia. Portanto, fazia pouco tempo que ele tinha conhecimento de um segredo que se ocultava no fundo daquela cidade aparentemente plácida e trabalhadora: atrás dos muros de cimento que se alinhavam nas ruas, em recintos apartados, em porões escuros, uma floresta de armas reluzentes e ameaçadoras jazia vigilante como espinhos de ouriço. Falava-se de jazidas de metralhadoras, de minas subterrâneas de projéteis; havia, comentava-se, gente que atrás da porta de um muro mantinha um canhão inteiro na sala. Como vestígios de metal que indicam a proximidade de uma zona minerária, nas casas das cidades se encontravam pistolas costuradas dentro de colchões e fuzis pregados sob os assoalhos. O agente Baravino se sentia desconfortável no meio de sua gente; para ele cada bueiro, cada pilha de trastes parecia guardar ameaças incompreensíveis, e frequentemente pensava no canhão escondido e lhe ocorria imaginá-lo na bela sala em que entrara uma vez quando criança, na casa onde sua mãe fazia faxina: um desses cômodos que permanecem fechados anos e anos. Via o canhão entre sofás de veludo desbotado guarnecidos de renda, com as rodas enlameadas no tapete e o fuste que tocava o lampadário, tão grande que enchia toda a sala e descascava o verniz do piano.

Uma noite a polícia fez uma batida nos bairros operários e cercou um prédio inteiro. Era um grande edifício de ar decadente, como se o fato de sustentar tanta humanidade amontoada tivesse deformado os pisos e as paredes, reduzindo-os também a uma velha carne porosa, calosa e cheia de crostas.

Em torno do pátio atravancado por tonéis de lixo corriam em cada andar as grades enferrujadas e tortas das sacadas; e nessas grades, e em cordões estirados de uma a outra, panos pendurados e trapos, e ao longo das sacadas, portas-janelas com madeiras em lugar dos vidros, atravessadas pelos tubos pretos das estufas, e ao final das sacadas, um sobre o outro como em torres carcomidas, as barracas das latrinas, tudo em um andar sobre o outro, intervalados pelas janelas dos mezaninos com barulhentas máquinas de costura e vaporosas de minestra, até o alto, até as grades dos tetos, as calhas tronchas, as águas-furtadas maltrapilhas abertas como fornos.

Um labirinto de escadas desgastadas atravessava dos porões ao teto o corpo da velha construção, como veias negras de ramificações inumeráveis, e sobre as escadas, espalhadas como ao acaso, se abriam as portas dos mezaninos e dos apartamentos promíscuos. Os agentes subiam sem conseguir mudar o som lúgubre dos próprios passos e tentavam decifrar os nomes assinalados nas portas, girando e girando em fila indiana por aquelas sacadas ruidosas, entre a aparição de meninos e mulheres despenteadas.

Baravino estava entre eles, indistinguível deles sob o capacete de autômato que lançava uma sombra crua sobre seus olhos celestes e nublados; mas seu ânimo estava tomado por confusas perturbações. Alguns inimigos deles, como lhe foi dito, inimigos deles, policiais e agentes da ordem, se abrigavam dentro daquele prédio. O agente Baravino olhava desanimado dentro dos quartos, pelas portas entreabertas: em cada armário, atrás de qualquer batente, armas terríveis podiam estar escondidas; por que cada inquilino e cada pequena mulher os olhavam com pena e ansiedade? Se alguém entre eles era o inimigo, por que não poderiam ser todos? Atrás dos muros das escadas os dejetos jogados nos condutos verticais caíam com baques; não podiam ser as armas de que eles se apressavam em se desembaraçar?

Desceram a um cômodo baixo, onde uma família jantava numa mesa de grandes quadrados vermelhos. Os meninos gritaram. Apenas o menor, que comia nos joelhos do pai, os olhou calado, com olhos negros e hostis. — Ordens de revistar a casa — disse o sargento esboçando uma continência e fazendo balançar os cordõezinhos coloridos em seu peito. — Minha Nossa Senhora! Nós somos gente pobre! Nós sempre fomos honestos! — disse uma senhora idosa, com as mãos sobre o coração. O pai estava de camiseta, um rosto largo e claro, pontilhado de uma barba dura e por fazer; dava de comer ao pequeno com colheradas. Primeiro os observou com um olhar atravessado e talvez irônico; depois deu de ombros e voltou a cuidar do menino.

O cômodo estava cheio de policiais. O sargento dava ordens inúteis e se confundia em vez de orientar. Com desânimo, Baravino olhava cada móvel, cada prateleira. Aquele homem de camiseta, sim, era o inimigo; e com certeza, se não tinha sido até aquele momento, agora se tornara, irreparavelmente, ao ver revirarem as gavetas e arrancar das paredes os quadros das madonas e dos parentes mortos. E, se era inimigo deles, agora sua casa estava cheia de insídias: na cômoda, cada gaveta podia conter metralhadoras desmontadas, todas em ordem; se abrisse as portas do aparador, baionetas acopladas em fuzis poderiam apontar contra seu peito; sob as jaquetas penduradas nos cabides talvez se ocultassem cartucheiras de balas douradas; cada panela, cada frigideira aninhava uma granada à espreita.

Baravino movia desajeitado os braços compridos e finos. Uma gaveta tilintou: punhais? Não: talheres. Uma pasta rimbombou: bombas? Livros. O quarto de dormir estava tão apinhado que não dava para atravessar: duas camas de casal, três catres, dois forros de palha abandonados no chão. E, na outra ponta do quarto, sentado numa caminha, havia um menino com dor de dente que se pôs a chorar. O agente já queria abrir uma passagem entre aquelas camas para confortá-lo; mas e se ele estivesse de sentinela em um arsenal disfarçado, se debaixo de cada leito se ocultasse uma base de morteiro?

Gira daqui, gira dali, Baravino não vasculhava em lugar nenhum. Tentou abrir uma porta: ela resistia. Talvez o canhão! Imaginava-o na bela sala daquela casa de seu vilarejo, com um vaso de flores artificiais despontando da boca de fogo, passamanes de renda sobre os escudos e estatuetas de cerâmica pousadas inocentemente sobre os artefatos. A porta cedeu de repente: não era uma saleta, mas um quarto de despejo, com cadeiras desempalhadas e caixas. Tudo dinamite? Lá estava! No piso Baravino viu a marca de duas rodas; alguma coisa sobre rodas tinha sido puxada para fora dali por um corredor estreito. Baravino seguiu o rastro. Era o avô que empurrava a cadeira de rodas o mais rápido que podia. Por que o velhinho estava fugindo? Talvez aquele cobertor sobre as pernas servisse para esconder uma machadinha! Eu passo ao lado dele e o velho me parte a cabeça ao meio com um só golpe! Mas ele estava indo ao banheiro. Estaria ali o segredo? Baravino correu para a sacada, mas a porta da cabine se abriu e dela saiu uma menina com um laço vermelho e um gato no colo.

Baravino pensou que devia ficar amigo das crianças e lhes fazer perguntas. Esticou uma mão para acarinhar o gato. — Oi, gatinho — disse. O gato escapuliu quase contra ele; era um gato cinza e magro, de pelo curto e todo nervos. Rangia os dentes e se mexia aos saltos, como um cão. — Oi, gatinho. — Baravino tentou tocá-lo, como se o problema para ele consistisse em fazer amizade com aquele gato. Mas o gato se desviou oblíquo e fugiu, de vez em quando se virando com miradas malévolas.

Baravino percorria a sacada aos pulos, atrás dele. — Gatinho, oi, gatinho — repetia. Entrou em um quarto onde duas jovens trabalhavam inclinadas sobre máquinas de costura. No chão havia pilhas de retalhos. — Armas? — perguntou o agente, e espalhou os tecidos com o pé, enredando-se em tiras cor-de--rosa e lilás. As garotas riram.

Seguiu por um corredor e uma rampa de escadas; às vezes parecia que o gato o aguardava, mas depois, quando chegava perto, ele saltava e corria com as patas parelhas e tesas. Saiu em outra sacada: estava bloqueada por uma bicicleta de rodas para cima; um homenzinho de uniforme procurava um furo no pneu, mergulhando-o numa bacia cheia. O gato já estava do outro lado. — Com licença — fez o agente. — Aqui está — disse o homenzinho, e o convidou a olhar: do pneu subiam mil bolhazinhas na água.

— Com licença? — Será que o outro estava preparado para barrar seu caminho e jogá-lo por cima da grade?

Passou. Em um cômodo havia apenas uma caminha e um jovem deitado de costas, o torso nu, fumando com as mãos sob a cabeça cacheada. Ar suspeito. — Desculpe, por acaso viu um gato? — Era uma boa desculpa para vasculhar debaixo da cama. Baravino esticou uma mão e levou uma bicada. Dali saltou uma galinha, criada em casa às escondidas apesar do decreto municipal. O rapaz de torso nu não piscou o olho: continuava fumando deitado.

Depois de atravessar um patamar, o agente se viu no laboratório de um chapeleiro de óculos. — Revistar... ordens... — disse Baravino, e uma pilha de chapéus — cartolas, panamás, cocos — caiu e se dispersou pelo piso. O gato pulou para fora de uma cortina, brincou rapidamente com os chapéus e foi embora. Baravino já não sabia se implicava com o gato ou se só queria ficar amigo dele.

No meio de uma cozinha havia um velhote com boné de carteiro e calças arregaçadas, que lavava os pés. Assim que viu o agente, fez um gesto zombeteiro, indicando o outro cômodo. Baravino se aproximou. — Socorro! — gritou uma senhora gorda e quase nua. Pudico, Baravino falou: — Desculpe. — O carteiro ria, as mãos pousadas nos joelhos. Baravino atravessou de volta a cozinha e foi ao terraço.

O terraço estava todo embandeirado de panos estendidos para secar. O agente caminhava entre corredores cegos e brancos, num labirinto de lençóis; o gato aparecia de vez em quando deslizando sob uma barra e sumia debaixo de outra. Baravino de repente teve medo de estar perdido; talvez tivesse ficado para trás, seus companheiros de armas tinham desocupado o edifício, e ele era prisioneiro daquela gente justamente ofendida, prisioneiro daqueles brancos panos estendidos. Por fim achou uma passagem e conseguiu se debruçar numa mureta. Embaixo se abria o poço do pátio, com as luzes que começavam a se acender em torno das sacadas de ferro. E, ao longo dos corrimãos, subindo e descendo as escadas, Baravino viu, não sabia se com alívio ou angústia, o formigueiro de policiais e escutou os comandos, os gritos de pavor, os protestos.

O gato se sentara na mureta a seu lado e mexia a cauda, olhando para baixo com ar indiferente. Mas, quando Baravino se moveu, o bicho saltou para longe: uma escadinha levava a uma água-furtada, e o gato desapareceu ali dentro. O agente o seguiu: não tinha mais medo. O sótão estava quase vazio: lá fora, a Lua começava a ganhar luminosidade sobre as casas escuras. Baravino tirou o capacete: seu rosto voltara a ser humano, o rosto fino de um jovem louro.

— Nem um passo a mais — disse uma voz —, você está sob a mira da minha pistola.

No degrau da grande janela estava aconchegada uma garota de cabelos longos nos ombros, maquiada, com meias de seda e sem sapatos, que, com uma voz resfriada, soletrava na última luz da tarde um jornal todo ilustrado e com poucas frases em maiúsculas.

— Pistola? — disse Baravino, e pegou o pulso dela para lhe abrir o punho. Assim que ela moveu o braço, o suéter se abriu sobre o peito, e o gato encolhido como uma bola saltou no ar contra ele, agente Baravino, rangendo os dentes. Mas o agente entendeu que era tudo uma brincadeira.

O gato fugiu pelos telhados, e Baravino, debruçado no parapeito baixo, o contemplava enquanto corria livre e seguro sobre as telhas.

— E Mary viu ao lado de sua cama — a garota continuava lendo — o jovem barão de fraque, com a arma apontada.

Em volta, as luzes se acendiam nas casas operárias, altas e solitárias como torres. O agente Baravino olhava a enorme cidade abaixo de si: construções geométricas de ferro se erguiam dentro dos recintos das fábricas, ramos de nuvens se moviam sobre os fustes das chaminés atravessando o céu.

— Quer minhas pérolas, sir Henry? — soletrava obstinada aquela voz nasal. — Não, quero você, Mary.

A uma rajada de vento, Baravino viu contra si aquela intricada extensão de cimento e ferro; de mil esconderijos o ouriço armava seus espinhos. Agora ele estava só, em terra inimiga.

— Tenho riqueza e elegância, moro em um luxuoso palácio, tenho criados e joias, o que mais posso pedir da vida? — prosseguia a garota de cabelos pretos que desciam sobre a folha ilustrada com mulheres sinuosas e homens de sorriso brilhante.

Baravino ouviu o som dos apitos e o ronco dos motores: a polícia estava deixando o edifício. Gostaria de ter fugido sob a cadeia de nuvens no céu, enterrar sua pistola em um grande buraco escavado na terra.

QUEM PÔS A MINA NO MAR?

Na mansão do banqueiro Pomponio os convidados tomavam café na varanda. Lá estava o general Amalasunta, explicando a terceira guerra mundial com as xícaras e as colherinhas, e a sra. Pomponio dizia — Espantoso! — sorrindo, mulher de sangue-frio que era.

Apenas a sra. Amalasunta se mostrava um tanto consternada e podia se permitir isso, já que o marido era tão corajoso que queria imediatamente a guerra total nas quatro frentes. — Tomara que não dure muito... — ela dizia.

Mas o jornalista Strabonio era cético: — Eh, eh, tudo já previsto — dizia. — Lembra-se, excelência, daquele meu artigo do ano passado...

— Eh, eh — anuía Pomponio, que se lembrava dele porque Strabonio escrevera o artigo depois de uma conversa que tiveram.

— Mas com isso não se deve excluir... — disse o parlamentar Uccellini, que não havia conseguido demonstrar claramente a missão pacificadora do papado antes, durante e depois do inevitável conflito.

— Mas claro, mas claro, excelência... — fizeram os outros em tom conciliador. A esposa do parlamentar era amante de Pomponio, e não se podia fazer-lhe tanto despeito.

Avistava-se o mar pelas brechas da cortina listrada, arrastando-se na praia como um tranquilo gato inconsciente, arqueando-se à passagem da brisa.

Um garçom entrou e perguntou se gostariam de frutos do mar. Um velho tinha aparecido, ele disse, com uma cesta de ouriços-do-mar e mexilhões. A discussão sobre o perigo da guerra tinha passado ao perigo do tifo, o general citou os episódios africanos, Strabonio citou episódios literários, o parlamentar dava razão a todos. Pomponio, que entendia do assunto, disse que trouxessem o velho até ali com a cesta e ele escolheria.

O velho se chamava Bacì Degli Scogli; criou caso com o garçom porque não queria que ele tocasse nas cestas. As cestas eram duas, meio descosturadas e musguentas: carregava uma apoiada ao quadril e, assim que entrou, a arriou no chão; a outra, que ele sustentava em um ombro, o que o deixava todo torto, devia ser pesadíssima, e ele a colocou no chão com muito cuidado. Estava fechada por um pedaço de saco, amarrado em torno dela.

A cabeça de Bacì era coberta por uma lanugem branca, sem distinção entre o cabelo e a barba. A pouca pele descoberta era vermelha como se há anos o sol não conseguisse bronzeá-la, mas apenas fervê-la e descascá-la; e os olhos eram sanguíneos como se até as remelas fossem transformadas em sal. Tinha um corpo baixo, de garoto, com membros nodosos que despontavam dos trapos da roupa antiga vestida diretamente sobre a pele, sem nem uma camiseta por baixo. Os sapatos deviam ter sido pescados no mar, de tão deformados, díspares e rugosos que eram. E toda sua pessoa emanava um forte cheiro de algas apodrecidas. As senhoras disseram: — Que pitoresco.

Ao abrir a cesta mais leve, Bacì Degli Scogli foi mostrando os ouriços amontoados numa agitação de acúleos pretos e brilhantes. Com suas mãos murchas, toda de pontinhos pretos com espinhos encravados, manejava os ouriços como se fossem coelhos que se pegam pelas orelhas e os revirava mostrando a polpa vermelha e mole. Sob os ouriços havia uma camada de saco, e mais abaixo estavam os mexilhões, com seus corpos achatados e manchados de amarelo-castanho sob as cascas barbudas, cobertas de líquen.

Pomponio examinava e cheirava: — Lá em suas bandas eles não dão nos esgotos, não é?

Bacì sorriu em sua lanugem: — Ah, não, eu estou no pontal, os esgotos ficam aqui, onde os senhores tomam banho de mar...

Os convidados mudaram de assunto. Compraram ouriços, mexilhões e encarregaram Bacì de abastecê-los nos dias seguintes. Aliás, cada um lhe deu um cartão de visita, de modo que ele também pudesse passar em suas mansões.

— E o que o senhor tem naquela outra cesta? — perguntaram.

— Ah — o velho piscou um olho —, um bicho grande. Um bicho que eu não vendo.

— Então vai fazer o que com ele? Vai comer?

— Comer! É um bicho de ferro... Preciso encontrar o dono, para devolver. Que ele depois se vire com isso, não é mesmo?

Os outros não entendiam.

— Sabem — ele explicou —, as coisas que o mar traz para a praia eu separo. De um lado as latas, do outro os sapatos, os ossos de outro. E então me chega esse troço. Onde vou guardar? Vejo que vem vindo de longe, meio debaixo d'água e meio em cima, verde de algas e enferrujado. Por que põem esses troços no mar? Eu não entendo. Os senhores gostariam de encontrar um desses debaixo da cama? Ou em um armário? Eu peguei o bicho e agora estou procurando quem o largou lá; e vou dizer ao sujeito: pode ficar com ele, fazendo o favor!

E enquanto falava foi se aproximando com cautela da cesta, desamarrou a boca do saco e deixou à vista um objeto grande e monstruoso, de ferro. A princípio as senhoras não compreenderam, mas deram um grito quando o general Amalasunta exclamou: — Uma mina! — A sra. Pomponio caiu desmaiada.

Houve uma grande confusão, uns se apressavam em abanar a senhora, outros asseguravam: — Com certeza é inofensiva, há tantos anos assim, à deriva... — Outros diziam: — É

preciso levá-la para fora, é preciso prender o velho. — Mas, nesse meio-tempo, o velho tinha sumido com a terrível cesta.
O dono da casa chamou a criadagem: — Vocês o viram? Aonde ele foi? — Ninguém podia garantir que ele havia saído.
— Procurem por toda a casa: abram os armários, as cômodas, esvaziem os porões!
— Salve-se quem puder — gritou Amalasunta subitamente pálido. — Esta casa está em perigo, todos embora!
— Por que justamente a minha? — protestou Pomponio.
— E a sua, general? Pense na sua!
— Eu preciso ir vigiar minha casa... — disse Strabonio, que se lembrou de certos artigos antigos e dos de agora.
— Pietro! — gritava a sra. Pomponio voltando a si e se lançando ao pescoço do marido.
— Pierino! — gritava a sra. Uccellini, lançando-se também ela ao pescoço de Pomponio e esbarrando na legítima consorte.
— Luisa! — observou o parlamentar Uccellini. — Vamos já para casa!
— Não me diga que acha que sua casa é mais segura! — lhe disseram. — Com a política que seu partido faz, o senhor está mais em perigo do que nós!
Uccellini teve um lance de gênio: — Vamos chamar a polícia!

A polícia saiu desabalada pela cidade litorânea, em busca do velho com a mina. As mansões do banqueiro Pomponio, do general Amalasunta, do jornalista Strabonio, do parlamentar Uccellini e outras ainda foram patrulhadas por bloqueios armados, e departamentos antibombas do Genio as inspecionaram dos porões até os sótãos. Os comensais da *villa* Pomponio se dispuseram a acampar ao ar livre naquela noite.
Enquanto isso, um contrabandista chamado Grimpante, que graças às suas amizades conseguia sempre saber de tudo, se meteu por conta própria na pista de Bacì Degli Scogli. Grimpante era um homenzarrão com um gorrinho de marinheiro de lona branca; os torpes negócios que circulavam no mar e

no litoral passavam todos por suas mãos. Depois de circular por algumas tavernas do bairro das Casa Velhas, foi fácil para Grimpante topar com Bacì enquanto saía bêbado, com a misteriosa cesta no ombro.

Convidou-o a beber na Taberna da Orelha Cortada e, enquanto servia a bebida, começou a explicar sua ideia.

— Não adianta devolver a mina ao proprietário — dizia —, porque, assim que ele puder, vai recolocar o troço no mesmo lugar onde você o achou. Mas, se você me ouvir bem, vamos pegar tantos peixes que tomaremos os mercados de toda a riviera e vamos ficar milionários em poucos dias.

É preciso saber que um malandro chamado Zefferino, useiro em meter o bedelho em todo canto, tinha seguido os dois até a Taverna da Orelha Cortada e se escondera debaixo da mesa. E, entendendo num piscar de olhos o que Grimpante planejava, saiu de fininho e espalhou o boato entre os pobres das Casas Velhas.

— Ei, querem comer peixe frito hoje?

Nas janelas estreitas e tortas apareciam mulheres magras e despenteadas com crianças no peito, velhos com aparelho auditivo, comadres limpando chicórias, jovens desempregados fazendo a barba.

— Como? Como?

— Silêncio, silêncio, venham comigo — disse Zefferino.

Grimpante, que tinha dado um pulo em casa, voltou com um estojo de violino e saiu com o velho Bacì. Pegaram a estrada que margeava o mar. Atrás, na ponta dos pés, vinham os pobres das Casas Velhas. As mulheres ainda de avental com panelas a tiracolo, os velhos paralíticos nas cadeiras de roda, os mutilados com suas muletas e uma turma de meninos ao redor do bando.

Ao chegarem às pedras do pontal, os dois largaram a mina no mar, em meio a uma correnteza que a levava para longe. Grimpante tinha retirado do estojo do violino uma dessas armas mata-cristãos, que disparam em rajadas, e a instalara atrás de um abrigo de rochas. Quando a mina ficou sob sua mira, começou a disparar: os tiros na água marcavam um rastro de peque-

QUEM PÔS A MINA NO MAR? ■

nos esguichos. Os pobres, barriga no chão da estrada litorânea, taparam os ouvidos.

De repente uma grande coluna de água se ergueu do mar bem no ponto onde estava a mina. O fragor foi enorme: as vidraças das mansões se estilhaçaram. A onda chegou até a estrada. Assim que as águas se aquietaram, começaram a vir à tona as barrigas brancas dos peixes. Grimpante e Bacì estavam pondo a mão numa grande rede quando foram varridos pela multidão que corria para o mar.

Os pobres entraram na água vestidos, uns com os sapatos na mão e as calças arregaçadas, outros de sapato e tudo, as mulheres com as anáguas boiando em círculo: e todos abaixando para pegar os peixes mortos. Uns os pescavam com as mãos, outros os metiam nos bolsos, outros ainda em bolsas. Os garotos eram os mais velozes, mas não se desentendiam: todos concordavam em dividi-los em partes iguais. Aliás, até ajudavam os velhos que de vez em quando escorregavam na água e saíam com a barba cheia de algas e caranguejinhos. As mais sortudas eram as carolas, que avançavam de duas em duas com seus véus estendidos à flor da água, rastelando todo o mar. As jovens bonitas de vez em quando gritavam: — Ih... ih... — porque um peixe morto subia por baixo de suas saias, e os rapazes iam descendo e tentando pescá-los.

Na praia começaram a acender fogueiras de algas secas, e apareceram as panelas. Cada um tirou do bolso um frasquinho de azeite e começou a subir o cheiro da fritura. Grimpante deu no pé para que a polícia não o agarrasse com aquele perfuravivos nas mãos. Já Bacì Degli Scogli continuou no meio dos outros, com peixes, caranguejos e camarões que despontavam de todos os rasgos de sua roupa, e comia uma trilha crua de tão contente.

ESTA OBRA FOI COMPOSTA PELA SPRESS EM GARAMOND E IMPRESSA EM OFSETE
PELA LIS GRÁFICA SOBRE PAPEL PÓLEN NATURAL DA SUZANO S.A.
PARA A EDITORA SCHWARCZ EM SETEMBRO DE 2023

A marca FSC® é a garantia de que a madeira utilizada na fabricação do papel deste livro provém de florestas que foram gerenciadas de maneira ambientalmente correta, socialmente justa e economicamente viável, além de outras fontes de origem controlada.